WAC BUNKO

「反日」化するドイツの正体

木佐芳男

WAC

まえがき　「立派なドイツ、だめな日本」というステレオタイプの欺瞞

　ドイツでは、二〇二〇年の半ば以降、極右・ネオナチ勢力による人規模なテロ攻撃や武装反乱、場合によっては民主体制転覆をもくろむクーデターが起きる事態が、深刻に危惧されている。その勢力のメンバーは全国規模のネットワークを持ち、連邦軍の特殊部隊「KSK」を中心に治安機関、警察組織など広範囲にわたって潜伏しているという。過激分子はごく一部ながら摘発され、プラスチック爆弾、自動小銃などの武器のほか、ナチ親衛隊の軍歌集などナチス遺品も多数押収された。KSKだけで約四万八千発の銃弾や約六十二キロの爆薬が所在不明となっていることも明るみに出た。これまでに、陰謀に加担した疑いで兵士や警察官など計六百人以上が取り調べを受け、KSKのある中隊には極めて異例の解体命令が出された。だが、勢力のネットワークははるかに大きいとされ、全貌は不明だ（米ニューヨーク・タイムズの調査報道およびドイツ・メディアの報道から）。

　ドイツの世論調査（第一公共放送ARD　二〇一九年七月四日）では、次のようなデータがある。

〈極右がわが国を変えるのではと恐れている〉六七％

〈国はあまりにもしばしば極右・ネオナチをのさばらせている〉六六％
〈極右の主張が社会的に受け入れられるようになった〉六五％
〈治安当局はインターネットやSNSをもっと監視すべきだ〉六五％
この調査の時期は、前述の大がかりな陰謀が明るみに出るより一年前であることが注目される。

国際社会で、ドイツは「ナチスの過去」を清算したとみられている。初代大統領ホイスにはじまる歴代首脳は「過去の克服」という言葉を使い、国家の名誉回復を目指してきた。だが、氷山の一角が発覚した極右・ネオナチの陰謀は、その「過去の克服」が空疎なスローガンにすぎないことを示している。詳しくは、本書【第四章　世界を欺いた「ドイツはナチの被害者」】でつづる。

一方でドイツは、近年、マスメディアや連邦議会、学界、民間を問わず、戦争責任をめぐって日本をスケープゴートとする言動をみせている。「ナチスの過去」の罪責を相殺《そうさい》するため、強引に「旧日本軍の悪行」と対比しようとする。そこには、深層心理の歪んだ心のメカニズムがうかがえる。心理学でいうスケープゴートとは、たとえば、新型コロナウイルス禍での人びとの自粛ストレスを背景に、SNSなどで誹謗中傷される感染者がそれだ。

先の大戦で敗れたドイツは、ホロコースト（ユダヤ人その他の大虐殺）などによって国際社会から非難を浴びた。ヒトラーの下《もと》、ドイツが行った「世界観戦争」とは「絶滅戦争＝みな殺しの闘争」だったことが明らかになっている。

日本も敗戦国だったが、ドイツと日本それぞれの戦争は、目的も戦い方も残虐性もまったくちがった。しかし、二〇世紀末以降のドイツは、「日本軍がドイツ軍と同等かそれ以上の残虐行為を行っていた」かのような印象を創出し、わが国を名指しで非難する。

国際社会には〝立派なドイツ、だめな日本〟という見方が根強い。ドイツは歴史と真摯に向き合い「過去の克服」に取り組んできたが、日本は反省も謝罪も足りず、周辺国といまも深刻なもめ事を抱えている——と。

特に二〇二〇年九月、首都ベルリンの公的な場所に、韓国系反日団体が旧日本軍の慰安婦を象徴する「少女像」を設置し、日独外相レベルでの問題となった。日本政府が像の撤去を要請する一方、ドイツにはその設置継続を支持する知識人や一般市民が少なくない。「過去を反省しない日本」が悪、「過去を反省しているドイツ」は正義という構図ができあがってしまった。わが国の負のイメージは、ドイツ発で国際社会に広がりつつある。

こうした見方は事実を知らないまったくの先入観、固定観念にもとづくものであり、本書では「独日ステレオタイプ」と呼ぶことにする。

筆者は、二〇〇一年、『〈戦争責任〉とは何か　清算されなかったドイツの過去』（中公新書）を上梓した。副題にあるように、過去を清算したとされるドイツは、ふたつの国家的トリックをもちい、ヒトラーとナチスをスケープゴートとし、あたかも過去を清算したかのように、自らと国際社会を欺《あざむ》いてきた。その事実を、さまざまな史・資料と大戦の加害国、被害国双方での現地取材にもとづいて論証した。

世に有名な一九八五年のヴァイツゼッカー演説こそ、ふたつのトリックの集大成であり、戦後のドイツ（連邦共和国）の国家神話を確立したのだった。この演説は、独日ステレオタイプが国際社会に広まる大きなきっかけとなった。

しかし、トリックが一九九〇年代後半以降に崩れスケープゴートを失ったドイツは、やがて、韓国の反日団体にそそのかされるまま、矛先を日本に向けるようになった。

ドイツの有力紙・南ドイツ新聞の極東特派員だったゲプハルト・ヒールシャーは、かつて、テレビ朝日系列の深夜討論番組『朝まで生テレビ！』などで、盛んにドイツの「過去の克服」を語り、日本の取り組みを「上から目線」で批判していた。

だが、ヒールシャーは拙著を読んでドイツについて沈黙するようになり、テレビからも姿を消した。彼をごく近くで知る人たちが、その内幕を筆者にわざわざ伝えてくれた。彼の言説は

「独日ステレオタイプ」にもとづく皮相なものだった。そして彼には、両国の戦争と戦後処理について一定の知識があったが故に、拙著にはとても反論できないと悟ったらしい。

拙著が紙誌の書評欄に取り上げられ、ヒールシャーも沈黙して以後しばらくのあいだ、独日ステレオタイプが日本のメディアでも言及されることはほぼ皆無となった。

だが、もともとこの固定観念は、ドイツ発というより、わが国左派のメディア、進歩的文化人、その系列につながる人物らによる〈日本発〉だった。彼らは「戦争・植民地被害国への姿勢や戦後補償への日本の取り組みはなっていない」という言説を、内外に広めた。自らの戦争責任は棚に上げ、日本という国や日本人を批判する歪んだ自己愛のためだった。

そうした底流があるため、「独日ステレオタイプ」はゾンビのように復活した。特に韓国メディアは、ブラント独首相が一九七〇年にポーランドのゲットー英雄記念碑前でひざまずいた有名な写真を使い「日本もドイツを見習え」とくり返す。二〇二〇年夏には、当時の安倍晋三首相が慰安婦に土下座する像が問題となった。制作者はブラントのひざまずきをヒントにしていた（【第二章　「東京裁判史観」に毒された反日日本人の妄言】を参照）。

独日ステレオタイプを広めてきた元凶の日本人は、たとえば次のような人物だ。

・じつは半可通なのに、ドイツの過去への取り組みは素晴らしい、とテレビ特番で手放し礼賛

の解説をしたジャーナリスト・池上彰
・自称ヨーロッパ通の国際政治学者ながら、ドイツ人の本音や裏の事情を知らないまま戦後ドイツを高く評価する元東京都知事・舛添要一《ますぞえよういち》
・政界では「碩学《せきがく》」とされ首相候補のひとりともなりながら、聞きかじりでドイツの戦後処理は模範だと公言する自民党衆議院議員・石破茂
・ヴァイツゼッカー演説を高く評価し、その日本語訳『荒れ野の40年』などを刊行、ヴァイツゼッカー神話の伝道師となった国際政治学者・永井清彦
・小説『箱の中の天皇』でヴァイツゼッカー演説を絶賛した作家・赤坂真理
・戦後、日本には東京裁判史観＝戦勝国史観が厳然として存在するが、ドイツにニュルンベルク裁判史観なるものはない。また、ヴァイツゼッカーの後任ヘルツォーク大統領は、ドイツ人の歴史認識を覆す画期的演説をした。それら戦後ドイツの少なくとも六つの重大な事象を無視して大著『過去の克服　ヒトラー後のドイツ』（白水社）を刊行した、わが国ドイツ近現代史研究の第一人者とされる東大教授・石田勇治

これら六人に比べれば、いくぶんバランス感覚を持って戦後ドイツをみた知識人として、たとえば東大名誉教授・大沼保昭がいた。しかし、こういう人物はごく少数派で、独日ステレオ

タイプは特にわが国で根づき、中韓にも伝わっている。

わが国のイメージ（パーセプション）は、国際社会でますます貶《おとし》められている。とりわけ看過できないのは、ベルリンのケースにも顕著な、米欧やオセアニアで慰安婦像を建てる韓国系反日団体の勢いだ。

ヨーロッパでも慰安婦問題は、偏向したメディア報道によって、悪い意味でかなり知られている。筆者がドイツやポーランドなどの知識人らに「その火元＝震源地は韓国ではなく日本の反日勢力であり、彼らが火をつけ燃え上がらせた」と説明すると、一様に驚いた。「いったい、どんな動機や目的でそんなことをするのか？」と。

特にここ数年、ドイツに韓国と日本の反日勢力がからみ、わが国のイメージを貶めるプロパガンダ活動が展開されている。近年の韓国は、旧日本軍をナチスと同一視させるための印象工作を展開してきており、その点でナチスを絶対悪としてきたドイツと波長が合う。

とりわけ二〇一六年から、慰安婦像を建てようとする在独韓国系反日団体の動きが目につくようになった。ドイツ人らも積極的に加担し、その陰にわが国の反日勢力がいる。

ドイツについては、かつて国防軍やナチ組織が占領地などで女性を強制連行して性奴隷にした事実が、研究者によって明らかにされている。それにもかかわらず、ドイツのメディアは自国の過去を無視またはタブーとし、一般国民も知らず、日本を独善的な立場から糾弾する。日本のイメージが悪いのは、次の二点に主な原因がある。

①わが国左派のメディアや活動家が、祖国を批判する虚実ないまぜの情報を発信しつづけてきた。

②韓国が歴史を捏造して理不尽な反日活動を内外で展開し、ドイツなど第三国に広めてきた。

だが、日本人の多くも国際社会も、そういう常軌を逸した者たちの活動によって、現在でも独日ステレオタイプが拡大再生産されている事実にほとんど気づいていない。

なぜ、ドイツと日本の国家イメージが、これだけかけ離れてしまったのか。ドイツは対外イメージをひどく気に懸け、首脳らの演説をはじめとするパフォーマンスも巧みであるからだけではない。結論から言えば、次の二点に尽きる。

☆ドイツの周辺には、日本にとっての韓国のように、反独を国是とする国はない。

☆ドイツ国内には、日本の〈反日日本人〉のように、独善的な動機で祖国を貶める〈反独ドイツ人〉がいない。これには、メディアもふくまれる。

そしてドイツは、韓国とわが国の反日勢力によるプロパガンダを受容し、事実関係を確認することもなく日本を非難する。

では、なぜドイツには〈反独ドイツ人〉がいないのに、日本には〈反日日本人〉がいるのか。

本書では、ドイツでの不当な日本非難、日本発の独日ステレオタイプ発信者の実態を明らかにする。そして、ドイツの国家的トリックのカラクリとその崩壊過程を白日のもとにさらす。

一方で、日本に巣くう〈反日日本人〉の心理メカニズムを、脳科学、民俗学、心理学などの観点から分析する。

アフリカ系アメリカ人で歴史を専門に研究するジェラルド・ホーンは、『人種戦争　太平洋戦争もう一つの真実』（英語版原著二〇〇四年刊。祥伝社より邦訳あり。二〇一五年）で、日本の戦争がアジア・アフリカなどのいわゆる有色人種による植民地支配打倒のきっかけを作った、と世界史のなかに位置づける。ドイツと日本の戦争の歴史的意味はまったく異なっていることが、第三者によって裏づけられたわけだ。

いまわれわれは世界で何が起きているかを知り、国際情報戦に参戦することによって独日ステレオタイプにもとづく日本非難を打破しなければならない。日本の国家イメージと名誉を回復し、明日への地歩を固めるために。

（文中、ドイツとあるのは、ただし書きがない場合、通称・旧西ドイツから再統一ドイツへとつながるドイツ連邦共和国を指す。登場人物の肩書きはそれぞれ当時のものとし、敬称は略す。太字と傍線は特にことわりのないものは筆者）

「反日」化するドイツの正体

目次

走兵／日本の対中戦争&大東亜（太平洋）戦争／マッカーサー、フーバーたちの「日本侵略戦争」否定論／定量的分析——独ソ戦と日中戦の死者推計／岩波書店の皮肉／無視された博物館／アジア太平洋地域での日本評価／ヒトラーを英雄視？／衝撃の書『反日種族主義』／「過去史は清算された」／反日団体を告発した日本人／IWGレポートと朝日誤報謝罪論で反撃せよ／世界史の転機となった日本の戦争／太平洋戦争もう一つの真実／ドイツと日本の戦争／ドイツ国家元首の悔恨／先入観からの決別

装幀／須川貴久（WAC装幀室）

第一章　日本を非難するドイツの厚顔無恥

各国で韓国系活動家による反日活動がいっそう激しくなっている。特に反日団体の慰安婦キャンペーンは、ドイツへも飛び火し慰安婦像設置などが相次いでいる。

国際社会での対日イメージを貶める最大の要因が、この慰安婦問題であることはまちがいない。ドイツではそれを奇貨《きか》とする者たちが存在しており、独日ステレオタイプはますます拡大再生産されている。

左派元首相の後押しで、ベルリン公有地に慰安婦像

ベルリンのブランデンブルク門などがある中央区《ミッテ》で、二〇二〇年九月二十八日、慰安婦を象徴するという「平和の少女像」の除幕式が行われた。ドイツでは過去、私有地に二体の慰安婦像が建てられたことがあるが、首都のしかも公共の場に設置されたのは初めてだ。ベルリン市が管理する公有地である住宅街の道路脇で、市民の目によく触れる場所だ。除幕式には、現地

の政治家や市民約百人が出席した。

韓国の聯合ニュースによると、前年に愛知県での「あいちトリエンナーレ2019」で一時中止になった企画展「表現の不自由展・その後」に出展された慰安婦像制作者の作品だ。ベルリンの韓国系反日団体「コリア協議会」が中心となって設置を推進し、韓国の慰安婦被害者支援団体「日本軍性奴隷制問題解決のための正義記憶連帯（正義連、旧挺対協）」が制作を支援した。ベルリン市中央区の関係者は、「（この像を）芸術作品として一年間という期間限定で設置を許可した」とし、「どこまでも女性に対する性暴力に反対するメッセージが伝わればいい」と述べた。

だが、像にはこんな碑文がドイツ語で刻まれていた。

〈第二次世界大戦時、日本軍はアジア太平洋全域で女性を性奴隷として強制的に連行した〉

戦時中、慰安婦がいたのは事実だが、奴隷状態にあったわけでも強制連行されたわけでもない。それは、日米両国政府の徹底調査で裏づけられている。茂木敏充外相は、ハイコ・マース独外相とテレビ会談し、像撤去での協力を要請した。その際、日韓両国政府のあいだでは、二〇一五年に「日韓慰安婦合意」があることを説明したとされる。合意では、次のようにうたわれている。

・韓国政府は海外での像の設置を支援しない

・性奴隷という表現も使わない
・韓国側は国内の支援団体を説得し、駐韓日本大使館前にある少女像の問題の解決に努力する

こうした日本政府の姿勢について、韓国のネットユーザーからは「これが歴史先進国のドイツと後進国の日本の違いだ」など批判の声が続出した。ここにも、独日ステレオタイプがみられる。

ベルリンに「AG（株式会社）トローストフラウエン（慰安婦たち、の意）」という正体不明の組織がある。そのウェブサイトによると、組織はドイツで慰安婦キャンペーンを展開中で、「ドイツ、日本、韓国、コンゴ、フィリピンその他の諸国」からの活動家が参加しているとする。日本がドイツに次いで二番目、韓国より先にあげられている点が注目される。〈反日日本人〉が中心的な役割を演じているのだ。こうした各国の活動家が連携し、像の設置工作をしたとみられる。

中央区議会は、十一月五日、「平和の少女像」を、一年間存続させる決議案を採択し、さらに、像の「永続設置」を求める動議を十二月一日に圧倒的多数で可決した。決議案には「少女像は武力衝突時の女性に対する性暴力議論に貢献」という曖昧な内容が盛り込まれた。

出席した議員三十七人のうち、賛成二十八、反対九だった。社会民主党、緑の党、左派党などが賛成し、メルケル首相率いるキリスト教民主同盟（CDU）などが反対した。

この騒動で注目されるのは、ドイツ国内の反応だ。ゲアハルト・シュレーダー元首相（社会民主党）とその韓国人の夫人は連名で、中央区区長に撤去決定の撤回を求める書簡を送った。報道によると、夫妻は「ドイツはナチスの過去を清算して世界中から尊敬されている。ドイツの官庁は日本の戦争犯罪隠蔽に加担してはならない」とした。

独ライプツィヒ大学日本学科のシュテフィ・リヒター教授は、韓国のハンギョレ新聞に対し次のようにコメントした。同紙は、リヒター教授について〈日本の歴史教科書問題をはじめ日本の新右翼修正主義に精通したドイツの日本学者〉としている。

〈日本政府の圧力に対応するドイツ連邦外務省とベルリンの責任者の態度に衝撃を受けた〉〈日本では一九九〇年代半ばから、日本軍が犯した戦争犯罪を否定するいくつもの右翼団体が登場しているが、彼らは主に政治や外交の領域で活動している。二〇一一年からの全世界の複数の場所で慰安婦像を撤去しようとする試み、最近のベルリンの少女像に対する圧力行使などは、この反動的ネットワークと関係がある〉

独ボーフム大学社会学科元教授のイルゼ・レンツは、同紙に対しこう述べたという。

〈重要なのは韓日間の対立ではない。戦争性暴力に対抗して正義を守ろうとした日本人も多い。私たちは戦争性犯罪に対する論争を抑圧する現在の日本政府と、戦争と性暴力を支持しない日本人を区別しなければならない〉（十月十二日配信）

ここで言う、〈正義を守ろうとした日本人〉が問題だが、それについては後述する。一般に、ドイツ人の日本研究者は、戦後日本についてリヒター教授とほぼ同じような見方をしているとされる。日本のドイツ研究者がドイツの戦後の取り組みを異様に高評価するのと対極にある（【第二章「東京裁判史観」に毒された反日日本人の妄言】参照）。

反日プロパガンダ序文

すでにフランクフルトのキリスト教施設で、二〇一九年十月から翌二〇年一月まで、旧日本軍の慰安婦を象徴するという「平和のための少女像」が展示された。〈この少女は日本帝国陸軍によって自宅から連れ去られた少女を象徴しています〉という碑文がはめ込まれていた。米カリフォルニア州グレンデール市の慰安婦像とおなじものだ。

展示会場では、厚さ一センチほどの図録が五ユーロ（約六百円）で販売されていた。展示冊子のタイトルは『慰安婦たち』とあり、表紙にはモノクロでこう書かれている（次頁参照）。〈慰安婦たち？　日本の天皇の軍による数十万の女性たちに対する組織的な戦争犯罪：強制連行し／虐待し／レイプし／殺害した〉

そして、女性三人が写った写真がある。冊子を手に取った人は、これが慰安婦らだと信じるだろう。だが、うちひとりはお腹の大きい妊婦であり、いつ誰を撮影したものか出所不明の一枚だ。

その序文を、地元の名門ゲーテ大学教授でナチス教育の研究をするベンヤミン・オルトマイヤー博士が書いている。

〈日本の軍国主義者らは、植民地化したり占領したりしたところ全域で、一九三七年から天皇の政府の命令により組織的に軍の慰安所設置をはじめた。そこへ、数万、最終的に数十万人の少女と女性が日本軍によって強制連行され、奴隷化された。彼女たちはレイプされ、虐待され、殺されもした〉

Trostfrauen?
Die systematischen Kriegsverbrechen der japanischen kaiserlichen Armee an hunderttausenden Frauen: Verschleppt / misshandelt / vergewaltigt / ermordet
Ju Hyun Hwang

ここに一部を抜粋したその序文には、韓国の反日団体が国内外に像の設置運動を展開している際にくり返す表現がちりばめられている。慰安婦制度の内実を少しでも知る日本人なら、右の文章は荒唐無稽の反日プロパガンダであることがすぐにわかるだろう。

ドイツ在住日本人で筆者にこの反日イベント情報を伝えてくれた人は、韓国の反日団体とドイツの知識人が直接連携したことを知って衝撃を受けたという。しかも、そのドイツ人はプロのナチス研究者だ。背後には北朝鮮そして中国がいるとみられる。オルトマイヤー教授は、序文を自分のウェブサイトでも公開し世界への拡散に努めている。

オーストラリア・シドニー近郊のストラスフィールド市で、二〇一五年、山岡鉄秀は慰安婦像の建立計画を阻止した。山岡によると、像を建てようとした中国や韓国系の団体は、計画への賛否を問う市の公聴会に、ユダヤ人ホロコースト研究者とギリシャ人ジェノサイド研究者を連れてきたという。言わば、第三者の知識人だ。だが、ドイツのケースは、ドイツ人のナチス研究者が韓国の反日団体と手を組み図録に序文まで書いたものであり、質的にまったくちがう。山岡は「他国でもドイツのような例はないのではないか」とする。

日本の軍国主義者は国家社会主義者《ナチス》と同等？

反日団体による慰安婦像の建立は、これまでに韓国、アメリカ、中国、カナダ、オーストラリアなどで行われてきた。だが、ドイツの場合は、これら諸国と意味合いに決定的なちがいがある。

ドイツは、ヒトラーが第二次世界大戦の口火を切り、ホロコーストや独ソ戦争でのスラヴ人奴隷化・皆殺し作戦など非人道的で残虐な過去を抱えている。そのなかで、韓国の反日団体が喧伝する旧日本軍慰安婦の問題は、戦後のドイツ人にとって過去をめぐる罪悪感を緩和ないし相殺してくれる作用を持っているのだ。展示図録序文には、それがにじみ出たこういう文章もみられる。

〈第二次世界大戦はヨーロッパだけでなくまさに世界戦争だった。ドイツがポーランドへ侵攻する一九三九年より前の一九三一年に、君主ファシスト国家は満州へ侵攻していた。……一九三七年には中国に侵攻し、実に一九四五年まで日中戦争は続いた。朝鮮は一九〇五年から、台湾は一八九五年から日本帝国主義の植民地だった〉

第二次世界大戦は、一九三九年九月一日、ナチス・ドイツがポーランドへ侵攻したことにより勃発した、というのが通説だ。

だが、この序文にもあるように、ドイツでは、日本の過去に目を向け、ドイツより前、日本はすでに中国と戦争を始めていたという、これまでドイツではあまり知られていなかったことを〝免罪符〟のように強調する例がみられる。つまり〈第二次世界大戦はヨーロッパだけでなく（日本がはじめたアジア太平洋地域での戦争をふくめ）世界戦争だった〉という視点が強く打ち出されるようになった。

ドイツにふたつある公共放送のひとつZDFの「今日のジャーナル」という報道番組で、二〇一五年十二月三十一日、キャスターが次のような趣旨のコメントをした。

〈ヨーロッパでは第二次世界大戦で数百万の死者を出したが、見落とされがちなのは、これが世界規模の戦争だったことです。戦時中、ドイツの同盟国だった日本によって信じられないほど組織的で残忍な行為が行われていた。それは七十年経ったいまも清算されていない〉

この番組では〈中国と韓国、またはその他の東南アジア出身の女性約二十万人が…〉というキャプションをつけた慰安婦とする写真を放送した。そこにはいずれもアジア系とみられる男性一人と女性四人が写っており、ひとりはお腹の大きい女性だ。これは、先述のフランクフルト展示図録の表紙写真をトリミング（切り取り）する前のものと考えられる。当然、出所不明で慰安婦とは無関係な謀略写真だ。韓国系反日団体が提供したものをZDFが検証もしないで使った可能性が高い。

そして番組では、日本政府の対応がいかに誠意のないものかという自称・慰安婦の女性たちの〝証言〟VTRが流され、その後、ドイツはいかに過去を克服してきたかという内容がつづく。

こういう風潮に関し、筆者情報源の一人はこう述べる。

「ドイツ人の多くには、日本軍はナチスと同じだった、という刷り込みがあります。そして、ナチス犯罪の陰に隠れて日本の戦争犯罪についてはあまり知られなかったが、日本はともすればわれわれより悪かったんだ、と。彼らが日本を断罪するのは、そうすることで自分は過去を乗り越えて正義の味方になったような錯覚を味わえるからです。だから、嬉々として韓国人側につくのです」

ある在独日本人は、こういう趣旨のツイートをした。

「ドイツ人に、慰安婦性奴隷説や南京三十万人大虐殺説などは事実無根だと言っても、その事実関係は理解できません。ナチスのような残虐性が日本軍にあったと思い込むのは、日本人をナチスと同列に置きたいという心情からじゃないでしょうか」

また、こういう趣旨のツイートもドイツ在住の日本人から発信される。

「ドイツの空気感は他の国の方にはなかなかわかってもらえないですが、嘘の歴史であっても否定した瞬間、ネオナチとみなされます。逮捕されたり職を失ったりする可能性すらあります。何もできず心苦しいですが、ドイツで顔を出して『あの慰安婦は売春婦だった』という勇気は、私にはありません」

南京については、英ザ・タイムズや米ニューヨーク・タイムズの東京支局長などを歴任したイギリス人記者ヘンリー・S・ストークスもこう書いている。

〈私は歴史学者でも、南京問題の専門家でもない。だが、明らかに言えることは、「南京大虐殺」というものが、情報戦争における謀略宣伝《プロパガンダ》だということだ〉〈初めから、「南京大虐殺」は中国国民党政府によるプロパガンダであった〉(『英国人記者が見た連合国戦勝史観の虚妄』二〇一三年。祥伝社)

近年の韓国は、日本の軍国主義者をドイツの国家社会主義者《ナチス》と同等に位置づけようとするプロパガンダを展開し、ドイツにもそれを吹き込むことに成功した。ドイツ側も、戦後、ヒトラーとナチスを絶対悪としスケープゴートにしてきたため、韓国のロビー活動に乗っかる土壌があった。

フランクフルトで売られていた図録本文には、以下のような荒唐無稽のあり得ないエピソードがつづられている。

〈新入りの少女が韓語を話したら首を斬られた〉〈タカダという兵士が妊婦は使い物にならんと彼女の腹を斬り……犬が食べた〉〈（性行為を）拒否した慰安婦がナイフで乳房を切り取られ、頭を切断され、（別の慰安婦は）頭を煮たものを飲むことを強要された〉

図録の末尾付近には「日本の歴史家を支援するための公式書簡」と膨大な数の世界中の教授たちの署名が掲載されている。ここにある「日本の歴史家」とは、祖国日本を批判することこそ正義だと考えている左派の〈反日日本人〉歴史家らのことだ。まさにわが国と海外の左派による対日国際包囲網の観がある。独日ステレオタイプの拡散は新しい段階に入っている。

ドイツでつづく慰安婦キャンペーン

ドイツに慰安婦像設置問題が飛び火したのは二〇一六年だった。西南ドイツの環境都市フライブルクに、韓国の姉妹都市・水原市から慰安婦像が贈られ恒久設置が予定された。しかし、日本から抗議のメールが殺到し、在ドイツ日本大使館も抗議した。さらに、やはりフライブルクの姉妹都市である愛媛県松山市が、像を設置するなら姉妹都市を解消すると表明し、フライブルク市は像の設置を断念した。英語などによるメール作戦を主に行ったのは、日本の女性市民団体「なでしこアクション」だった。

二〇一七年三月、ドイツ南部のバイエルン州ウィーゼントに、ヨーロッパで最初の慰安婦像が設置された。像には慰安婦の歴史的な背景や少女像に関する詳しい説明などが書かれた碑を添えるはずだったが、これはミュンヘンの日本総領事館が「内容に問題がある」と抗議して阻止した。

この年、ドイツ東部のナチス女性収容所があったラーフェンスブリュックで、像が一週間だけ展示されたときも、ベルリンの日本大使館は抗議した。

その十二月には、ボンの女性ミュージアムに慰安婦像の恒久設置などを目指す反日市民団体「社団法人　風景・世界文化」が発足する。韓国政府がこの年から、八月十四日を「日本軍慰安婦被害者をたたえる日」と定めたのに合わせ、「風景・世界文化」は像を館内に立てることで博物館側と合意していた。だが、韓国の聯合ニュースによると、翌一八年五月、デュッセルドルフの日本総領事館が抗議し、結局、設置は阻止された。ただ、戦時暴力展示会と国際フォーラムは開催された。

この年八月には、北ドイツの港湾都市ハンブルクにあるプロテスタントの北ドイツ教会関係施設で、六週間にわたり慰安婦像が展示された。ハンブルクの日本領事館は領事と副領事を派遣して抗議した。翌年、この像がフランクフルトに持ち込まれた。

日本の在独公館が慰安婦像の建立などで抗議すると、ドイツでは「過去を反省しない日本」という印象を強める負の効果が生じてしまう。独日ステレオタイプが働くからだ。

「あいちトリエンナーレ」で慰安婦像展示などが騒動となった二〇一九年八月、首都ベルリンでも、同じ制作者による像が、女性芸術家グループGEDOK主催のイベントや市中心部のブランデンブルク門前で展示された。この像は、同年初頭にルール地方の都市ドルトムントの産業博物館で展示されていたもので、ドイツ全国をめぐる巡回展となった。

ドイツ・メディアの日本断罪

左派である南ドイツ新聞の二〇一三年九月四日の記事には、こんな見出しがある。

〈第二次世界大戦の韓国人慰安婦――「人間の屠殺場」を逃れた〉。こうした表現により、ドイツ人読者に、旧日本軍によって韓国人慰安婦は性奴隷にされ殺されたという刷り込みがくり返される。

公共放送ZDFは、二〇一五年十二月二十八日の日韓外相会談でなされた「日韓間の慰安婦問題の最終的かつ不可逆的な解決」を確認したいわゆる日韓合意の際、こう報じた。
〈残忍な戦争犯罪をした日本がやっと韓国の慰安婦に謝った〉
だが後年、韓国側はその合意を一方的にひっくり返した。

国連教育科学文化機関（ユネスコ）の諮問機関である「イコモス」（国際記念物遺跡会議）が、二〇一五年五月五日、長崎県の端島《はしま》いわゆる軍艦島をふくむ幕末から明治の重工業施設を中心とした「明治日本の産業革命遺産」の全二十三施設を世界文化遺産に登録するよう勧告した。これに対し、韓国は〈かつて日本が軍艦島で朝鮮人を強制労働させた〉とし、官民を挙げて世界文化遺産登録を阻止する運動を開始した。

左派の高級週刊誌としてわが国でも知られるドイツのシュピーゲル誌（電子版）は、翌六月二十六日、軍艦島二十三か所の写真を掲載した大特集を掲載した。その記事の見出しは〈重工業施設化の涙〉とあり、特集記事のリードには〈そこ（軍艦島）でコリアンらが強制労働させられていたことから、韓国は憤慨している。議論を呼ぶ勧告について、本誌は生き残りの人たちに話を聞いた〉とする。

シュピーゲル誌は、完全に韓国のプロパガンダに沿い、日本悪玉論を長文記事で展開した。

〈数万人もの韓国人が強制労働を余儀なくされた〉〈韓国は歴史修正主義を受け入れやすい日本に不信感を抱いている。日本は、過去にも戦争犯罪で中途半端な解決しかして来なかった〉

日本側は、戦時中の端島を知る元島民七十人以上に聞き取り調査をし、韓国側の主張するような奴隷労働の証言や証拠は見つかっていないとしている。〈端島炭鉱において坑内に一緒に入る同僚への信頼は絶対であり、連帯感がなければ海底炭鉱の坑内で採炭の仕事はできなかった〉（Ｈａｎａｄａ二〇二〇年九月号の加藤康子論文）

ドイツでは二〇一六年、『ＪＡＰＡＮ《ヤーパン》ポケット版　旅行のガイドさんが口にしないこと』というガイド本が発行された。〈普通のガイドブックには載っていない日本〉を知ることができるというのが宣伝文句で、不審に思ったある日本人から筆者の情報源が受け取ったものだ。そこには〈第二次世界大戦時、約八十万人のコリアンが強制労働者として日本に連れて来られた〉など、さらっとだが根拠のない反日情報が随所に仕込まれている。

ガイド本の著者はドイツ人女性で、奥付のプロフィールによると、過去二十五年間、中国本土、台湾やアジア各国に足を運び中国を研究してきたとある。「間違いだらけの、とんでもない本。著者は中国の息のかかった工作員ではないか」と情報源はみる。

ここにあげたのはドイツにおけるメディア反日情報のごく一部だ。他に、たとえば、昭和天皇の肖像を燃やして足で踏みつける動画などが展示された「愛知トリエンナーレ」騒動などでも、ドイツのメディア、特に南ドイツ新聞は、完全に韓国系反日団体のプロパガンダを受けて偏向報道をつづけた。日本のマスメディアが、ドイツの影の部分をほとんど伝えないのとは対照的だ。

連邦議会で日本軍・慰安婦非難

慰安婦像の設置騒動に先立ち、ドイツ連邦議会（下院）でも旧日本軍のことが持ち出された。二〇一〇年、次のような内容の討議が行われた。

〈ドイツとちがって、日本の戦争犯罪の戦後処理は、これまで引きずるようにしか進んで来なかった。広島・長崎の原爆で、犯罪をした側というより、長い間被害者という面が強かったからだ〉（連邦議会資料）

実は、こうした対日観は日本国内の左派反日勢力がくり返す言説の受け売りに過ぎない。ドイツの議会関連文書をチェックすると、慰安婦問題の追及に熱心な日本人識者や活動家の名前が散見される。たとえば、朝日新聞に〈旧日本軍が慰安所に「関与」していた〉という情報を伝え、フェイクの大キャンペーンで慰安婦問題を大炎上させた中央大学教授・吉見義明などだ。

二〇一二年六月二十六日には、連邦議会でドイツ社会民主党（SPD）が「慰安婦　日本の戦後処理」について決議案を提出した。その骨子は、〈コレーア（朝鮮半島）から二十万人、中国の観測では十四万人が慰安婦とされ、うち三〇パーセントのみ生き残った〉とするものだ。むろん、韓国系反日団体のプロパガンダを受けたもので、議会として独自に裏づけ調査をした跡はうかがえない。

決議案が提出された前後の日本は民主党政権下で、情報源によると、この時期に韓国反日団体の工作がドイツで一気に進んだ。

さらに、この年十一月二十九日には、連邦議会で緑の党の議員ウテ・コッチーが、決議案を支持する立場からこう述べた。

〈戦時下の日本の売春所の性奴隷は、『慰安婦』と呼ばれました。同僚議員の皆さん、慰安婦という言葉自体が卑劣なごまかしです。しかし、もっと酷いのは、日本政府が今日に至るまで、この犯罪を認めて相応な措置をとるという確固たる方針を持たないことです〉

緑の党は環境保護だけでなく、人権や女性の権利も重視する左派リベラル政党だ。だが、緑の党員らが慰安婦問題に関して日本語の文献を読めるわけではなく、韓国系反日団体やそれを支援する日本人からの一方的なプロパガンダ情報にもとづいて判断しているとみられる。

ちなみに、ベルリン市中央区のダッセル区長も緑の党所属だが、「コリア協議会」と非常に近いのは社会民主党で、同党がベルリンでの慰安婦像建立を押し切ったとされる。

中国には人権・人道よりビジネス第一

仮に、ドイツ連邦議会で他国の人権・人道問題を取り上げるなら、チベット、ウイグル、内モンゴル問題など世界でも際立つ中国の現状を議論・非難すべきだ。特に、中国政府は、膨大な数のウイグル人を収容施設に拘留し、虐待、拷問、生体臓器狩りなどをしているとされる。まさに、ナチスの大罪に匹敵する。

だが、ドイツにとって中国は最大の貿易相手国だ。中国が二〇二〇年七月一日に香港での国家安全維持法（国安法）を施行し、民主派の人権が危機に陥った際も、メルケル首相はヨーロッパ議会の議長でありながら、香港情勢に一切言及しなかった。中国を批判するのは外相、外務省報道官レベルで実態は伴っていない。

ドイツ在住作家の川口マーン惠美によると、ドイツの第二公共テレビのオンライン・ニュースページに、七月五日、ラルフ・リョラー北京特派員の論説が載った。わざと太字にしたくだりにはこう書かれていた。

〈ドイツの自動車産業は、生き延びるために中国市場が必要だ。そして、ドイツは自動車産業が必要で、それなしには社会の安定を保てない。正直になろう。われわれの民主主義は、一つ

の独裁国が繁栄することによって成り立っているのだ〉(現代ビジネス二〇二〇年七月二十四日配信)

メルケルは、二〇〇七年、ドイツ首相として初めてチベット仏教最高指導者ダライ・ラマ14世と会談した。これに中国が強く反発し、対中輸出は激減したため、経済優先路線に逆戻りした経緯がある。

ドイツがナチスの過去を反省し人権・人道問題に敏感だという説は、少なくとも対中関係では当てはまらない。人権・人道よりビジネス第一なのだ。

突出する日本非難

その意味で、ドイツ連邦議会での日本非難は突出していた。

日本政府が相応な措置をとっていない、と緑の党議員コッチーは批判した。だが、たとえば、元「慰安婦」に対する補償(償い事業)、および女性の名誉と尊厳に関わる今日的な問題の解決を目的として一九九五年に設立された「財団法人女性のためのアジア平和国民基金」(略称:アジア女性基金、英語: Asian Women's Fund)についてどれだけ知っていたのだろうか。

韓国の自称・慰安婦支援団体「挺身隊問題対策協議会=挺対協(現・正義連)は、日本政府からの出資金と国内外からの募金による「償い金(和解金)」を元慰安婦らが受け取るのを妨害したいきさつがあるが、ドイツ側には基金の話はいっさい伝わっていなかったと思われる。

また、左派党の議員アネッテ・グロートも、こう語った。

〈不正を行ったという自覚は、当時の軍にも現在の日本政府にもありません。それどころか、史実の歪曲が試みられています。犠牲者の女性たちに関する様々な嘘を広めていることが、彼らが犯罪を隠蔽しようとしている一例です。われわれ左派党は、この不正についてようやく語ってくれた婦人たちに感謝します。特に金学順《キムハクスン》、この不正を明るみに出した彼女の勇気ある行動に感謝します。彼女によって、国際法上の犯罪の社会的な総括が初めて可能になったのです〉

金学順(一九二四年〜一九九七年)は、自ら元慰安婦として最初に名乗り出た人物とされるが、その証言はコロコロ変わり、発言の真偽については議論があった。一九九一年八月十一日の植村隆・朝日新聞記者による記事では〈女子挺身隊の名で戦場に連行され、日本軍人相手に売春行為を強いられた〉などとされた。金学順が軍令により強制連行されたと主張しているのはこの記事だけだった。後に、朝日新聞は〈この女性が挺身隊の名で戦場に連行された事実はありません〉と日本語だけで訂正記事を出した。

しかし、その訂正の事実は、海外にはまったく伝わっていない。当の朝日新聞が隠しているからだ。

緑の党議員などの演説を受け、キリスト教民主同盟(CDU)の議員ウーテ・グラノルトは、

〈日本が悪いのはそのとおりだが、女性の人権を侵害している日本以外の国もあるので、採択すべきではない〉と主張、かろうじて決議はされなかった。ただ、グラノルトも反日プロパガンダを鵜呑みにしてこう述べている。

〈歴史家は犠牲者の数を二十万から三十万と推定しています。犠牲者のほとんどが中国と韓国の出身で、ここは、日本軍が特に激しい暴力を振るった場所でした。女性たちの苦しみは筆舌に尽くし難く、多くは疾病、拷問、空腹、あるいは疲労のために死亡しました〉

この犠牲者の数もほとんど中国と韓国の出身というのも、反日プロパガンダの偽情報だ。グラノルトは、さらにこういう発言をした。

〈外国からの警告ではなく、自身の真摯な和解と反省の文化を発揮してこそ、過去の総括を深め、隣国との理解をより強固にできるということは、われわれドイツ人がちゃんと示したではありませんか〉

キリスト教民主同盟は中道保守とされ、メルケル政権連立与党の中核を占めていた。一般的に言ってドイツの政治家は弁舌巧みだが、ことアジアのことになるし根拠がないか薄弱な情報にもとづいて唯我独尊的な物言いをする傾向がある。日本の知識人によくみられる西洋コンプレックスの真逆と考えればいい。

戦後ドイツの現実は、このグラノルト議員の言葉とは裏腹に、過去の総括も克服もまったくできていない。この発言には、ドイツ人政治家の独善性がよく表れている。

慰安婦問題をホロコースト化したい勢力

アメリカやオーストラリアなどの慰安婦問題で暗躍する中国の影は、ドイツに関してはいまのところ表面化していないが、裏では関与している可能性がある。

ドイツの教会は信者離れに悩んでいる。在独韓国人にはキリスト教徒が多く教会税を払ってくれる収入源として歓迎される傾向にあり、それが反日団体浸透の手段となっている。

ソウル郊外にある「ナヌム（わかちあい）の家　日本軍慰安婦・歴史資料館」の日本語ガイドで唯一の日本人スタッフだった矢嶋宰《つかさ》は、二〇〇六年以降、韓国とドイツを行き来し日本の反日勢力とつなぐ活動をしてきた。ミニチュア慰安婦像をドルトムントからベルリンへ移動するイベントなどにもかかわったとされる。矢嶋の動機について長野県の信濃毎日新聞はこう伝えている（二〇〇六年三月二十八日付）。

〈ドイツで、この日本軍「慰安婦」問題は、平和博物館に勤務する職員さえ知らないことに衝撃を受けた。この問題を「ホロコースト」のように、一般市民のレベルまで浸透し共有されるテーマにしたい、そしてこの問題を拒絶し続ける日本にヨーロッパから〝逆輸入〟したいというのが矢嶋の夢だ〉

慰安婦問題をホロコーストと同列にするのが、矢嶋を含むドイツ、韓国、日本の反日勢力が目指す目標ということだ。

もともと、慰安婦問題を炎上させたのは朝日新聞だった。現代史家・秦郁彦がいう「職業的詐話師」つまりプロの嘘つきである吉田清治の言葉を鵜呑みにし、それだけを根拠に朝鮮半島などから若い女性が強制連行され売春を強要された、と繰り返し報道した。自称・人権派弁護士の戸塚悦朗が慰安婦を「性奴隷」と呼び、それが国連をはじめ国際社会に広まってしまった。朝日新聞は最初の報道から三十年以上も経った二〇一四年になって、強制連行などの事実はなかったと「誤報」を認め多くの記事を取り消した。

これを受けて、日本国内で朝日を相手取った三つの集団訴訟が起こされた。原告側は「虚報により、日本国および日本国民の国際的評価は著しく低下」したなどとし、慰謝料や損害賠償、謝罪広告の掲載などを請求した。だが、「朝日の『誤報』と日本、日本国民の国際的な評価の低下について、直接の因果関係は認められない」として三件とも棄却された。

この訴訟について、山陰中央新報に共同通信の配信と思われるこんな記事が載った（二〇二〇年九月九日）。

〈最初に提訴した原告団の記者会見で、ある外国人がこう質問したという。「『朝日新聞の報道が日本の評判を貶《おとし》めた』といううみなさんのメッセージのほうが、国際社会がネガティブ（否定

的）に受け止めているが、それはなぜだと思うか〉

原告団の代表は、これに的確に答えられなかったのかもしれない。だが、答えは非常にはっきりしている。

国際社会に独日ステレオタイプが広まっているからだ。人びとは、旧日本軍の行動を〈推定有罪〉で判断してしまう。ところが、【終章】でふれるように、米政府の「ナチス戦争犯罪と日本帝国政府の記録の各省庁作業班（ＩＷＧ）」のレポートなどによれば、慰安婦制度に関して旧日本軍は無罪だった。

朝日は「誤報」を認める一方で、慰安婦問題は「戦時性暴力と女性の人権の問題だ」と話をすり替えていまに至る。

秦郁彦によれば、慰安婦で割合が最も多かったのは日本人だった。だが、朝日新聞が元慰安婦の日本女性について報道し、救済の手を差し伸べたことはない。あくまでも「悪の加害者」は日本帝国であり「善の被害者」は朝鮮半島などアジアの女性――という構図でなければならないと思っているからだ。そこに元慰安婦の日本人女性を持ち出せば構図が崩れてしまう。「女性の人権の問題」という主張は、朝日の言い訳にすぎず、何の取材・報道実績もない。

韓国などの反日団体も同様だ。世界中に「慰安婦友の会」とか「慰安婦のための正義」など似たような名前の組織が存在する。若い女性が主体となっていることが多いのは、活動をフェミニズム（女性解放尊重主義）に結び付けているからのようだ。それらの団体は、ソウルに拠点を置き、正義連（旧・挺対協）と繋がっている。

ドイツで近年、旧・挺対協（現・正義連）や日本人活動家なども関与する韓国系反日団体が活動を活発化させている。さらに、ベルリン在住の日本人女性たちで作る「ベルリン女の会」（会員三十人）が、慰安婦問題をめぐり日本政府の態度を批判して、ドイツの市民グループに働きかけ、ブランデンブルク門前でデモをしたり、ドイツのメディアに情報を提供したりしている。大きな女性組織「ドイツ女性の輪」やアムネスティ・インターナショナルのドイツ支部、キリスト教団体などとも連携している（赤旗二〇一三年九月三十日付）。「女の会」の中核メンバーは朝日新聞とも強いコネクションがあるとされる。こうして独韓日の反日ネットワークが形成されている。

ドイツの慰安婦＝強制売春こそ問題だ

また、国際労働機関（ＩＬＯ）の条約適用勧告専門家委員会は、二〇〇三年三月、年次報告書を発表し、日本政府に対して戦時中の元慰安婦および強制労働について勧告を行った。勧告では「性奴隷」という表現が使われた。勧告書の内容は割愛するが、要するに、日本政府は慰安所設置をふくむ「強制労働」の条約違反を犯しながら、元慰安婦などが望む「国家としての公式謝罪」「個人補償」をしていないので早急にせよ、と迫ったのだ。

この年六月のＩＬＯ総会でも初めて正式議題として取り上げられ、日本のイメージはまたしても傷つけられた。

日本政府の立場は、戦争被害国への国家賠償を規定したサンフランシスコ平和条約によって基本的には問題は解決しているとするものだ。このため、個人補償などには応じられないとする一方で、当時、官民の寄付によって「女性のためのアジア平和国民基金」（理事長・村山富市元首相）を創設し、元慰安婦に償い金を手渡すなどの対応をしていた。

慰安婦問題をＩＬＯに持ち出したのは韓国労組代表で、一九九六年のことだった。ＩＬＯは本来、現代の労働問題を扱うが、韓国はあえて慰安所設置など強制労働はいまにひきずる問題だとした。以後、ＩＬＯを構成する政府代表、使用者代表、労組代表のうちのひとつ労組作業委員会内部で激しい議論が交わされながら、日本をふくむ諸国代表の反対で総会の正式議題となることは見送られてきた。それが二〇〇三年に議題となったのは、日本の労組代表（連合）が条件付きで容認したためとされる。

ドイツの労組代表は一九九九年、慰安婦問題をＩＬＯ総会の正式議題とすることに賛成した。当時、筆者は戦後補償関連のファクスによる情報誌をチェックしていて、このドイツの対応に注目し、東京でＩＬＯ日本代表のひとりに会って詳しい状況を取材した。

ドイツの姿勢が正当化されるのは、ドイツには慰安婦問題がもともとないか、あっても完全に清算されている場合に限られるだろう。しかし、現実にはそのいずれでもなかった。

ドイツには、わが国の慰安婦よりはるかに悪質な過去があった。まず、ナチス強制収容所には売春宿があり歴史家は強制売春と呼ぶ。その事実をメディアはほとんど報道せず、ごく一部のフェミニスト（女性解放尊重主義者）などをのぞき一般国民は知らない。

それとはまったく別に、国防軍の占領地では売春宿（慰安所）があった。ドイツ人歴史家による研究はほとんど行われていないが、一九七七年発行のフランツ・ザイトラー著『売春・同性愛・（徴兵忌避のための）自己傷害　ドイツ軍衛生管理問題　１９３９－４５』（未邦訳）で例外的にふれられている。その概要はこうだ。

〈国防軍は、売春宿（慰安所）を設置する指令を出した。一九四〇年夏、フランスで既存の売春宿を兵士用に指定したのが第一号で、一九四二年にはすでに五百軒以上にのぼった。戦線の移動や兵員の増減により、閉鎖、新設された〉

〈ナチズムの人種政策にもとづき、これらの施設で働かせるのは、ポーランド、ロシア、ギリシャ、フランス、ユーゴスラヴィア出身の、ユダヤ系をのぞく女性とされた〉

〈東部戦線では、戦地指揮官が女性の手配をし、強制的に集めることもしばしばだった。一九四三年三月十二日付けのある軍医の書簡によると、女性ひとり当たり一日の「客」は、統計上、

二二・六人から四六・五人だった〉

この研究書によると、日本で最大の争点となった慰安婦の官憲による強制連行や性の強制〈性奴隷〉の事実が、ドイツではさまざまな史料によって裏づけられている。だが、この著者は、軍の慰安婦制度をとくに批判的に述べたわけではなく〈兵士の性病予防に最も効果的な手段だった〉としている。

ドイツのマスメディアは、このテーマについて正面から取材して社会問題とすることはない。戦後ドイツはナチスをスケープゴートとし、非ナチ組織だった国防軍〈正規軍〉の暗部も長い間タブーとしてきた。その暗部は戦後半世紀を経て少しずつ暴かれるようになったが、メディアと同じく歴史家らが本格的に「戦場の性」の問題を研究し結果を公開する気配はいまに至ってもまったくない。したがって、キリスト教会や市民も、まさかドイツでそんなことがあったとは知らない。

だからこそ、ドイツのILO労組代表まで日本非難をしたのだ。日本代表もドイツの慰安婦問題について知識があれば、ドイツ代表を黙らせることができたはずだ。しかし、日本代表の関係者は筆者が伝えるまで知らなかったそうだ。

二〇一五年にはメルケル首相が来日し、野党・民主党の岡田克也代表との会談で、慰安婦問題を「しっかり解決した方がいい」と発言したと報道された。ドイツ政府はその事実を否定したが、岡田は記者団に「メルケル首相が慰安婦の問題を取り上げたことは紛れもない事実。問題を解決した方がいいという話があった」と述べた。

史実を知る者からみれば、ドイツ人は厚顔無恥としか言いようがない。一般に、ドイツ人が日本に対し上から目線で強く出るのは、独日ステレオタイプに乗っかっているからだろう。

特に、ILOの件で注目すべきは、ドイツ労組代表が慰安婦問題を議題とする側に回った一九九九年というタイミングだ。このころドイツの「過去の克服」問題ないし戦後処理はどんな状況だったか、がポイントだと筆者は考える（【第五章　「反日日本人」はいても「反独ドイツ人」はいない】参照）。

国際連帯し言葉の壁を悪用

ドイツでは旧日本軍による慰安婦の強制連行説や奴隷説が広められている。だが、韓国やドイツで活動する先述のフォトジャーナリスト・矢嶋宰らは、たとえば日本の左派雑誌・週刊金曜日（二〇一七年四月六日付）その他に記事を書くとき、「強制連行」しか「性奴隷」という表現を慎重に避けている。その一方で、こうした言葉を用い韓国やドイツなどで広められている慰安婦プロパガンダは容認している。

日韓のあいだで慰安婦問題を大炎上させた朝日は、日本国内では一連の「誤報」を認めながら、英語版の慰安婦関連記事では相変わらず「性奴隷」と印象づけされうる表現を使いつづけている。その点を追及するケント・ギルバートと山岡鉄秀が再三にわたり訂正を申し入れても、決してそれに応じなかった（『日本を貶め続ける朝日新聞との対決全記録』飛鳥新社。二〇一八年）。

慰安婦関連の反日団体は、ドイツをふくむ海外で反日プロパガンダを広めている。本家本元の朝日新聞が英語で訂正をしたら論拠が崩れることを恐れているからだと思われる。朝日や反日活動家らは、日本語と英語で記事表現を使い分け、言葉の壁を悪用しているのだ。朝日は国際連帯する反日勢力の重要な一員であり、本質的に、事実を伝える報道機関ではない。

第二章 「東京裁判史観」に毒された反日日本人の妄言

ドイツ二つのトリック骨子

アメリカは二〇一九年後半から、トランプ政権のもと、中国共産党と中国人民を区別して論じるようになった。だが、ヒトラー時代のドイツは、ナチ政権と一般国民を区別して論じられる社会状況ではなかった。ほとんどの国民はヒトラーに加担し、その第三帝国の臣民として収奪戦争や絶滅戦争による利益を享受していた。だから、大戦で敗北必至の情勢となっても、ヒトラーに反旗をひるがえす者はほぼ皆無と言ってよかった。

ところが、戦後ドイツでは、ヒトラーやナチスの〈悪いドイツ人〉、および、一般ドイツ国民と正規軍だった国防軍将兵などの〈善いドイツ人〉の二種類がいたかのような先入観が生まれ、それが次第に定着していった。

ドイツ人歴史家らが筆者に教えてくれたところによると、その先入観は、主にアメリカの戦

図表1　「戦前の二種類のドイツ人」のイメージ

第二次世界大戦後、アメリカの戦争映画などによって世界に広まった「戦前の二種類のドイツ人」のイメージ	
［善いドイツ人］	**［悪いドイツ人］**
一般ドイツ国民 正規軍「国防軍」の将兵	アドルフ・ヒトラー総統 ナチ組織の隊員 ・親衛隊（SS） ・秘密国家警察（ゲシュタポ） ・保安諜報部（SD） ・その他の組織 ・ナチ党の一般党員

争映画が創り出した。大戦後すぐに米ソ冷戦となり、アメリカは西ドイツを西側自由主義陣営に引き込むため、ハリウッドに次々とプロパガンダ用の戦争映画を制作させた。邪悪なナチスと善良な国防軍兵士の描き分けだった。それらの映画は西側を中心に世界各国で上映された。

西ドイツでは、元兵士だけでなく一般国民の多くもその先入観に乗っかり、ヒトラー時代の過去を糊塗《こと》し、〈善いドイツ人〉になりすましていった。そして、映画によるイメージを抱く世界の人々は、それに疑問を持たなかった。それが、第一のトリックだった（【図表1「戦前の二種類のドイツ人」のイメージ】参照）。

一方、国際法によって戦争犯罪は大きく三つに区分される。これは、ドイツ人主要戦犯を裁いた国際軍事裁判（ニュルンベルク裁判）で初めて採用され、日本人の主要戦犯を裁いた極東国際軍事裁判（東京裁判）でも少しアレンジして適用された。

図表2　日独での戦争や戦争犯罪についてのイメージのちがい

日本人の主なイメージはAとB

A	B	C
平和に対する罪	通例の戦争犯罪	人道に対する罪
侵略戦争の計画、遂行	民間人の殺害、捕虜の虐待、他	ホロコースト（ユダヤ人虐殺）、他

ドイツ人の主なイメージはC

〈平和に対する罪〉（Ａ）侵略戦争の計画、遂行など
〈通例の戦争犯罪〉（Ｂ）捕虜の虐待や民間人の殺害など
〈人道に対する罪〉（Ｃ）ホロコースト（ユダヤ人などの虐殺）、他

戦後ドイツの戦争責任論は、Ｃに集中していた。戦後日本の戦争責任論はＡとＢに集中していた。だから、独日両国の戦争責任問題を単純に比較すると、ナンセンスなことになる。ところが、国際社会では、歴史家も政治家もジャーナリストなども、このＡＢＣを混同したまま論じてきた。これが、第二のトリックだ（【図表2　日独での戦争や戦争犯罪についてのイメージのちがい】参照）。

二つのトリックについてはのちに詳しく述べる（【第四章世界を欺いた「ドイツはナチの被害者」】参照）。本書で扱う独日ステレオタイプは、これら二つのトリックによってもたらされた。やがて二〇世紀末に至りトリックは崩れていったが、完全に消滅したわけではない。

戦後の長いスパンでみたとき、独日ステレオタイプは、ドイツ発というより、ある意味で日本発の側面がある。少なくとも韓国や中国に先入観を広め、反日行為に格好の材料を提供してきたのは、一部の日本人だった。この構図は、慰安婦騒動とおなじだ。以下、独日ステレオタイプを広めてきた人物をひとりずつ取り上げる。

ジャーナリスト・池上彰――話をすり替え、強引にナチスの話題に持っていく

テレビ朝日が戦後七十年を機に、二〇一五年七月二十五日、「池上彰のニュース　そうだったのか!! 戦争とは何なのか⁉」という二時間スペシャル番組を放送した。

池上が〈戦争からどんな教訓をくみ取るか、どうして戦争は起きたのか。歴史をきちんと知ること、教訓をきちんと伝えていくこと〉と前口上を述べる。

戦後五十年に出された村山富市首相（社会党）の総理談話を紹介し、村山本人が登場して〈日本は戦争の責任もとっていないないし後始末もしていない〉と談話発表の意図を語る。談話のポイントは、戦後初めて正式な総理談話で「お詫び」したことにあったとする。

番組では、連合国が日本の戦争責任を裁いた東京裁判について、いわゆる「事後法」であったことなどいくつかの批判すべき点も含め丁寧に説明した。事後法というのは、「法律がなけ

れば、罪も刑もない」という司法の原則に反し過去にさかのぼって適用された法律のことで、一般に無効とみなされる。そのため、東京裁判そのものが無効だったとする見解は、いまでも国際法学者などのあいだに根強い。

池上の話のそこまではいいが、ドイツの戦後処理のことになると、とたんにトーンが変わった。

池上は「戦後七十年が経つけれども、いまも慰安婦問題や靖國問題など諸外国ともめている日本。一方、同じ敗戦国のドイツは周辺国ともめているイメージはあまりないのでは」と、スタジオに集まった俳優やタレントに語りかける。

あるドイツ人女性のＶＴＲが流れ〈ドイツは過去の歴史を隠したりしません〉〈戦争やユダヤ人差別のことなどを半年かけて勉強します〉とコメントする。日本の中学三年に当たるクラスの歴史の授業も紹介され、教師が〈今日はヒトラーが書いた本の内容から彼の世界観と信念について考えよう〉と語る。

番組ナレーションは〈授業は生徒と先生の対話で進む。ナチスが犯した罪について残酷なことも詳しく教えている〉とする。

池上は〈ドイツは九か国と陸続きですから周辺の国と仲良くやっていかなければならない。そのためには過去の戦争についてきちんと反省し謝罪をするという姿勢をみせることによって周辺国との信頼関係を築けなければ戦後ドイツはやっていけなかった〉と解説し、いかにドイツの戦後の清算なり処理なりがきちんと行われたかという流れにもっていく。

〈ちなみに日本は島国だということもありますし、とりあえずアメリカとさえ仲良くやっていけば何とかなるよねという部分もあった点が大きく違う〉〈今でもドイツの政治家はナチス時代の過ちを口にする〉〈日本の場合は、広島と長崎に原爆が落ち、東京大空襲で焼け、被害者意識が強い〉

スタジオにいた北村晴男弁護士はこう指摘した。

〈非常に巧みなのは、ドイツがやったのではなくナチス・ドイツがやった、という持っていき方をしている〉

池上は〈北村さんがおっしゃるように、戦後すぐはナチスが悪かった、われわれは悪くなかったと言ったんですけど、そもそもナチスを選んだのは誰だっけ、ドイツの国民が選んだんだよね。ドイツの国民の責任はどうなのか。その責任も問うべきではないか、というのは実はかなり出てきている〉と答え、こう解説した。

〈一九六〇年代に、政治家の中にナチスに関わっていたものがいるんじゃないかと次々に明るみに出されたり、七〇年代になるとユダヤ人虐殺のテレビ映画が話題になった。そうすると、意識はだいぶん変わってきたと言われる〉

それはある意味で事実だが、池上は〈いまも、ドイツ人の手でナチスの犯罪が裁かれ続けているんです〉と話をすり替え、強引にナチスの話題に持っていった。

池上彰はスペシャル番組で〈(ドイツは)過去の戦争についてきちんと反省し謝罪をするという姿勢をみせることによって周辺国との信頼関係を築けなければ、戦後ドイツはやっていけなかった〉と語っていた。(傍線筆者、以下同)

これは正当な根拠のある歴史認識だろうか。

ナチスの本拠地として知られたニュルンベルクで、歴史家のヘルマン・グラーザー博士(一九二八年生まれ)は、わざわざ筆者の滞在するプチホテルまで来てくれた。その著書『第三帝国　主張と実情』(邦題『ヒトラーとナチス　第三帝国の思想と行動』社会思想社・現代教養文庫。一九六三年刊)は、日本でもロングセラーをつづけ、レベルの高い内容をやさしい文章で書いた最良の入門書とされる。博士は、ニュルンベルク市文化教育行政の責任者として活躍していた。

オランダ生まれの日本語が堪能なジャーナリスト、イアン・ブルマは、一九九四年、『戦争の記憶　日本人とドイツ人』を日英両語で刊行した(邦訳はTBSブリタニカ、筑摩書房)。〈日本の場合には、中国における戦争と広島の原爆投下に焦点を当てた〉〈ドイツの場合はユダヤ人に対する戦争に的をしぼった〉とした。ここに日独の〈戦争〉が言及されている。

筆者はグラーザー博士にこう言った。

「ブルマ氏は、『ユダヤ人にたいする戦争』(the war against the Jews) という言葉を使い、それを日本の戦争と比べて論じています」

「あの本を読んだのは随分前なのでよくは覚えていませんが、それは翻訳の問題ではないでしょうか」

「いや。英語の原書でも彼は戦争 (the war) という言葉を使っています」

「それはスキャンダラスだ！　あれは平和に暮らしていた人びとを殺したのであり、戦争なんかじゃなかったんです。あなたにそれを聞いて気になりました。私もあの本を調べてみなければ。あれが戦争だったなど、まったくありえない話でナンセンスです！」

博士が「スキャンダラス」という厳しい言い方をしたのは、ユダヤ人迫害を戦争だと強弁して正当化しようとする説を連想したからだろう。ヒトラー率いるナチスは「世界のユダヤ人が敵側に立ってドイツと戦う」と主張し、ユダヤ人を敵国人として収容所に抑留するという理屈を考え出した。戦後ドイツの右派学者のなかにも、「ユダヤ人との戦争」説を支持するような言説がみられる。

前述の［図表2］で図示したように、ドイツで議論されている、ユダヤ人に対し段階的に迫害をエスカレートさせ、ついには大虐殺へと至った過去（C）と日本で議論されている戦争の過去（AとB）を比べることがいかに無意味かを、博士とのやりとりは物語っている。イアン・

ブルマはそれをやってしまった。

評論家の西尾幹二は、一九九四年、文藝春秋から『異なる悲劇　日本とドイツ』を刊行した。文献研究に基づき、ドイツで主に問題にされているのは自国民を含むユダヤ人の大虐殺であり日本で侵略戦争や戦場での戦争犯罪が問題にされているのとはちがう、と指摘した。ただ西尾は、一九四五年八月、米英仏ソの戦勝四か国が合意した「ロンドン憲章」の第六条で規定された戦争犯罪の三カテゴリーは明示しなかった。そのため、日独での戦争責任論の〝すれちがい〟が読者にはっきり伝わったかどうか疑問がのこる。

憲章の英語原文ではそれぞれａ、ｂ、ｃ項とされているが、文献によってはＡ、Ｂ、Ｃと表記されることもある。これにより戦勝国側は、通称ニュルンベルク裁判においてドイツ人主要戦犯を裁いた。この憲章は、東京裁判でも少しアレンジして使われた。筆者は、ドイツ人歴史家などにインタビューする際にはいつも、戦争犯罪のカテゴリーのちがいをはっきりさせるため、憲章の英語正文（その表記はａｂｃ）を示して話を聞いた。それをもとに作成したのが五十一頁の【図表2　日独での戦争や戦争犯罪についてのイメージのちがい】だ。

つまり、池上が言った〈過去の戦争についてきちんと反省し謝罪をするという姿勢をみせる〉というのは、戦後ドイツの現実を反映していないことになる。ドイツと日本は、それぞれちがうカテゴリーのことを混同して議論してきた。それは、たまたまなのか、それとも誰かの意図によって混同させられたのか。

告げ口外交とゾンビ復活

中国の習近平国家主席、韓国の朴槿惠大統領が、二〇一三年から翌年にかけ、相次いで、〈ドイツは過去を克服しているのに日本は過去を清算していない〉〈ドイツを見習え〉と国際社会に向けて言い放った。これは「告げ口外交」と呼ばれた。かつて、わが国の左派勢力が〝輸出〟した独日ステレオタイプが、ゾンビのように生き返ったわけだ。

中韓の姿勢にわが国では反発が広がった。読売新聞は二〇一四年五月一日の朝刊に〈中韓の日本批判「模範国」ドイツは当惑〉という見出しの大きな解説記事を載せた。書いたのはベルリン支局の筆者の後任特派員で編集委員だった。筆者からみれば、ドイツの知識層は自国の「過去の克服」が十分ではないことを内心では自覚しており、日本と比較して持ち上げられること自体「当惑」するしかないのだ。

だが、翌一五年に「池上彰のニュース　そうだったのか!!　戦争とは何なのか!?」が放送され、わが国でも独日ステレオタイプが再び蔓延《まんえん》してしまった。

池上や番組スタッフは、拙著（『〈戦争責任〉とは何か　清算されなかったドイツの過去』）やその内容に依拠して書かれたいくつかの著作や論文の存在を知らなかったのだろうか。拙著の書名はネット検索すればすぐにヒットするし、本章で取り上げる石田勇治の大論文『過去の克服』をふくめ、関連テーマの書籍では必ずと言っていいほど参考文献として挙げられている。番組制作陣はそれをあえて無視し、「立派なドイツ」と「だめな日本」を対比する、進歩的文化人がやりそうな安易な構図＝独日ステレオタイプで番組を作ろうとしたように思える。スペシャル番組では、東京裁判に関して丁寧なリサーチをしていただけに、不可解だ。

番組の影響は大きかった。二〇一六年、共同通信はジャーナリスト江川紹子の記事を配信した（山陰中央新報には七月二十四日掲載）。

〈ドイツといえば、過去の過ちと真摯に向き合い続けて来た国として知られる。首相や大統領が繰り返しユダヤ人迫害を謝罪し、学校では加害の歴史をしっかり若い世代に教えてきた〉

ユダヤ人迫害は〈人道に対する罪〉（C）に当たるが、江川にはそういう認識はなかったのだろう。記事は見事なまでに独日ステレオタイプを踏まえたものだった。同様の記事は二〇一八年二月の朝日新聞などにも散見される。

池上の番組では、ドイツの教育が模範のように取り上げられていた。だが、世界的にヒットした映画『帰ってきたヒトラー』の原作者ティムール・ヴェルメシュは、ドイツでの初等中等教育での歴史の授業について読売新聞にこう語っている（二〇一六年七月二十一日付朝刊）。

〈「なぜ」「どうして」ヒトラーが権力を掌握できたのか。説明はなかった。ぼくらも問わなかっ

た〉

ドイツの教育現場がなぜそういう状況だったのか。ヒトラーはドイツ人有権者の選挙によって権力の座についた。一部にはテロや脅しなどもあったが、大多数の有権者は自発的にヒトラーとナチ党を支持した。だから、教師は本当のことを教えなかったのだ。史実を明らかにすれば、子どもたちの祖父母や両親の罪責を避けられず、教えられなかったとも言える。

江川紹子は、〈学校では加害の歴史をしっかり若い世代に教えてきた〉とも書いたが、後述のようにそれも誤解だ。

ドイツには日本のような「平和教育」はない

京都教育大学の村上登司文教授によると、一九五〇年の朝鮮戦争をきっかけに、翌年から日教組によって「平和教育」という用語がつかわれた。一九六〇年代後半から一九七〇年代なかばにかけ、平和教育は制度化された。戦争体験の継承により反戦意識を高めようとするものだった。第二次大戦の体験、とくに原爆の被災についての学習がおもな内容とされた。その結果、子どもたちの多くが「戦争は絶対悪だ」と考えるようになる傾向が生まれた。

村上助教授が一九九七年に行った中学生の意識調査で、〈日本は今後、どのような戦争もおこなうべきではない〉との答えは八一％だった。こうした数字が出るのは、「ある国から侵略されそうになったら、自衛のための戦争をする。同盟国が攻撃されたら、いっしょになって戦う」という国際社会の常識を、わが国では教えないからだろう。

平和教育は、多くの親たちにも支持されている。一方で、自虐的で偏向しているとの批判があり、はげしい論争が展開されてきた。

しかし、筆者が調べたところ、ドイツ（旧西ドイツ）には平和教育という言葉も概念もなかった。

あるのは人権教育であり、日本のように戦争を絶対悪とは教えない。ドイツ基本法（憲法）第二六条には〈特に侵略戦争の遂行を準備する行為は違憲である〉とだけ書かれている。日本国憲法9条にある〈戦争放棄〉や〈戦力は持たない〉などという文言はない。ドイツ連邦軍というれっきとした戦力がある。

ドイツをふくむヨーロッパでは、どうしても戦争をしなければならない状況なら断固として戦う、という考え方が根づいている。

戦後賠償しないドイツ

日本は一九六五年の日韓基本条約、七二年の日中共同宣言に続く日中平和友好条約をはじめ、ロシア（旧ソ連）を除く第二次大戦の関係国と講和条約を締結している。戦争被害国には賠償をするか、その他の名目で巨額の援助をした。

一方、ドイツは一九九〇年の東西ドイツ再統一の際、米英仏ソとドイツ最終規定条約を締結したが、他の国々とは大戦後の講和条約を締結していない。このため、ユダヤ人には補償したが、戦争被害国にはきちんと対応しなかった。これも、図表2で示したABCカテゴリーを反映したものだ。Cの補償はするが、AとBは対象外だ。

ポーランド議会は二〇一八年八月末、ナチス・ドイツ占領時代の損害賠償額は五百四十億ドル（約六兆円）以上に達するとの試算結果を公表した。ギリシャは、二〇一九年七月、第二次大戦中の被害額が約二千九百億ユーロ（約三十五兆円）とし、改めてドイツ政府に賠償を要求した。だが、ドイツ外務省は「解決済み」との従来の立場を堅持し、「交渉を拒否する」と駐独ギリシャ大使に通告した。ギリシャ側は、まったく納得していない。

賠償請求をめぐっては、他のドイツ周辺国との関係も悪化する恐れが十分にある。ドイツはCをのぞき過去の清算などできていない。

訂正番組を新たに制作すべきだ

冷静にみれば、日本は、侵略戦争だったかどうかの論争などはあっても、戦争をしたことそのものは大筋において深く反省している。池上番組での村山富市元首相のコメントは、エセ平和主義者のプロパガンダに過ぎなかった。

池上が仕切ったスペシャル番組は、独日ステレオタイプそのものに沿っていた。本稿で論じた独日ステレオタイプをテレビで流せば、影響は計り知れず、国内だけでなく海外にも伝わり、中韓がいずれまた日本攻撃の材料にする恐れがある。池上は中韓のプロパガンダに反撃するどころか、それに乗っかった。

もし池上が真のジャーナリストなら、フェイクニュースまがいのテレビ番組を作ったことを深く反省し、北東アジアの平和のため、訂正番組を新たに制作すべきではないか。

元東京都知事・舛添要一——自称ヨーロッパ通の勘違い

舛添要一は、「文藝春秋」二〇一九年十一月号において、元大阪市長で弁護士の橋下徹と対談し、次のような発言をしていた。

〈私はドイツの国家としての姿勢を非常に尊敬しているんです。戦争やユダヤ人の虐殺が、たとえナチスという特殊な時代の蛮行であったとしても、一貫して周辺被害国へ謝罪を続けてきました。先日ポーランドで開催された第二次世界大戦勃発八十年追悼式典には、メルケル首相が参加していました。一方、日本の総理が韓国の独立記念日の式典に参加するなど、聞いたことがないですよね〉

舛添は、東大助手のあとパリ大学現代国際関係史研究所客員研究員、ジュネーブ国際研究大学院客員研究員を歴任した自称ヨーロッパ通の国際政治学者だ。だが、ドイツの実態を自ら調査研究したことはないらしく、独日ステレオタイプによる通り一遍の評価をしている。

舛添は、ポーランドを引き合いに出して日韓のことを語っている。だが、ポーランドはナチス・ドイツに侵略され、女性子どもをふくむ国民が極めて残虐な扱いをされた過去を持つ。ドイツ首相が戦争がらみの追悼式典に列席するのは当然だ。

それに比べ、半可通の内外知識人には誤解している人もよくいるが、日韓のあいだで戦争をしたことはない。韓国の独立も日本の敗戦によってなしえた〝漁夫の利〟のような側面がある。ソウル大学経済研究所客員研究員の鄭安基《チョンアンギ》によると、〈韓国人は独立運動などについて「自分たちは連合軍側だった」と思い込んでいるので、連合国側の戦勝史観が心の奥に沈殿している〉(「文藝春秋」二〇一九年十二月号)

日本の総理が韓国の独立記念日の式典に参加するなど、当の韓国側が望まないのではないか。それ以上に問題なのは、舛添が、ドイツは〈一貫して周辺被害国へ謝罪を続けてきました〉と根拠もなく語っていることだ。ドイツが一貫して謝罪を続けてきたというのは独日ステレオタイプによる印象にすぎない。ヴァイツゼッカーも、その演説などをよく分析すれば謝罪はしていない。ドイツ首脳として初めて明確に謝罪をしたのは、後任のローマン・ヘルツォーク大統領（一九三四年生まれ）だった。

五十年後の謝罪

一九九四年八月一日、ヘルツォーク大統領は、ポーランド首都ワルシャワ市中心部の「ワルシャワ蜂起記念碑」前に立った。ちょうど一カ月まえ、ヴァイツゼッカーのあとをつぎ、第七代大統領に就任したばかりで、初の外国公式訪問だった。この日は「ワルシャワ蜂起」の満五十周年にあたり、ポーランドのレフ・ワレサ大統領から記念式典に招かれていた。

非ユダヤ系ポーランド人の一般市民と一部軍部隊によるワルシャワ蜂起は、一九四四年八月一日から十月二日までの六十三日間におよび、約二十万人の死者を出し全市が破壊された。鎮圧したのはナチス親衛隊（SS）とドイツ国防軍の占領部隊であり、第二次大戦でも有数の残虐行為のひとつとされる。

ポーランドでの世論調査によると、戦争の記憶をとどめる高齢者を中心に、国民の五〇％は記念式典へのドイツ大統領の招請に反対していた。ヘルツォークは、緊迫した空気のなかで演説をはじめた。

〈八月一日という日は、ドイツ人によってポーランドにもたらされた計り知れない苦しみを思い起こさせます。……しかし、ポーランド国民の苦難のはじまりは、この日ではなく、一九三九年九月一日でした。第二次大戦で、ポーランドほど多くの犠牲者を出した国はありません。塹壕や爆弾のあられ、ガス室やここワルシャワの路上で、数百万もの市民が亡くなりました。……本日、私は、ワルシャワ蜂起の闘士やすべてのポーランド人戦争犠牲者のまえに頭を垂れます。ドイツ人が彼らにしたすべての行いについて、許しを請います〉

ポーランドに苦難をもたらしたのは「ドイツ人」だったと明言された。ヴァイツゼッカーなどドイツ首脳が「ナチス」というあいまいな主語でドイツとドイツ人の責任を避けようとする姿勢（後述）は、まったくなかった。

ヘルツォーク大統領は、ユダヤ人の迫害や大虐殺だけでなく、侵略戦争や戦場での戦争犯罪をふくむ「すべての罪」について言及し、しかも謝罪をした。

ドイツの歴代首脳は演説などで、〈悪いドイツ人〉のヒトラーとナチスを他人事《ひとごと》のように批判し、スケープゴートとしてきた（五十頁の【図表1「戦前の二種類のドイツ人」のイメージ】参照）。

だから、ヘルツォークが口にした「ドイツ人」という言葉は、二種類に分ける欺瞞の伝統を事実上否定した、ドイツの戦争責任をめぐる画期的な表現だった。図表2にあるABCすべてについて、ドイツ首脳として初めて謝罪したのだった。

しかし、のちに述べるように、ドイツ世論はヘルツォーク演説をほとんど受け入れなかった。

というより、メディアがほぼ無視したので、一般国民にその真意と歴史的意義が伝わらなかった。式典には、蜂起の生き残りや元兵士数百人をふくむ多数が参列していた。演説のポーランド語への通訳が終わるよりまえ、盛大な拍手がわき起こり数分間もつづいた。人びとの目には感動の涙があったという。

翌日のポーランド・ラジオ放送は、こう論評した。

「五十年間、すべてのポーランド人が待っていた言葉が語られた」

舛添要一が語る〈第二次世界大戦勃発八十年追悼式典には、メルケル首相が参加〉したのは、ヘルツォーク演説から二十五年も経ったあとのことだ。その間に、ドイツ世論は少しずつヘルツォークの歴史認識を受け入れるようになった。その時の流れのなかで、二つのトリックが崩れていったとも言える。

舛添の言う〈一貫して周辺被害国への謝罪を続けてき〉たのは、ドイツではなくむしろ日本だった。

衆議院議員・石破茂――事実に基づかない不当な主張

石破茂は日本の政界では「碩学《せきがく》」とされ、首相候補のひとりでもあった。産経新聞は二〇一九年八月二十三日、こう伝えた。

〈自民党の石破茂元幹事長は二〇一九年八月二十三日付の自身のブログで、韓国政府が日韓の軍事情報包括保護協定（GSOMIA）の破棄を決めたことについて、「日韓関係は問題解決の見込みの立たない状態に陥った。わが国が敗戦後、戦争責任と正面から向き合ってこなかったことが多くの問題の根底にあり、さまざまな形で表面化している」と分析した。

石破氏は、明治維新後の日韓関係を再考する必要性を強調し、「〈ナチス・ドイツの戦争犯罪を裁いた〉ニュルンベルク裁判とは別に戦争責任を自らの手で明らかにしたドイツとの違いは認識しなくてはならない」とも指摘した〉

石破茂の言葉は、事実に基づいた正当な主張なのだろうか。まず、〈わが国が敗戦後、戦争責任と正面から向き合ってこなかった〉という認識は、左派メディアや進歩的文化人などの影響を強く受けたものだろう。石破は、いわゆる東京裁判史観に立ってわが国の戦争責任を論じるようだが、その立脚点そのものに問題はないのか、という認識がないようだ。

慰安婦＝強制売春のタブー

石破茂の言葉を素直に読めば、ドイツ人がニュルンベルク裁判を重く受け止め、さらにそれとは別に〈戦争責任を自らの手で明らかにした〉と解釈できる。だが、ドイツ社会は、あの裁判をふくめ過去の事象のいくつかをタブー化してきた。

日本にとって重大な問題である慰安婦がその一つだ。第一章でも少し触れたように、かつてのドイツにも慰安婦制度はあった。慰安婦、慰安所という言葉は旧日本軍がつくったもので、ドイツのケースではふつう「強制売春」と呼ばれている。

ドイツ人のごく一部が、ヒトラー時代のこの種の制度を被害者女性の人権に注目して調べはじめたのは、一九九〇年代に入ってからだった。

そのうちのひとりクリスタ・パウル（一九五九年生まれ）に、ハンブルクの喫茶店で会った。細身の体にジーンズをはき、強いたばこをひっきりなしに吸った。女性の権利のための活動に長年たずさわっており、「私もフェミニストです」と言った。

「一九八九年十一月、アウシュヴィッツ（現ポーランド領オシフィエンチム）の収容所跡を女性グループで訪れました。政治犯として収容されていたことのある男性も夫婦で参加し、その人から収容所のなかに売春宿があったことをはじめて聞いたんです」

その後、ベルリン在住の日本人女性らと知りあい、日本で「従軍慰安婦」が問題となっていることに関心を抱いた。

「ナチスの強制売春について調べはじめた理由のひとつがそれでした」

旧日本軍のケースでは、大日本帝国と日本軍を絶対悪とする左派イデオロギー的な理由から、日本人女性については論議されず、韓国、中国など外国の慰安婦だけがクローズアップされている。パウルの観点はちょっとちがっている。

「私は、ナチスが自分の国の人間を強制的に売春させた問題に限って研究しました」

かつて売春を強要された女性にもインタビューして本にまとめて出版したのが、一九九四年だった（邦題『ナチズムと強制売春』明石書店。一九九六年刊）。

それによると、推定で少なくとも三万四千人あまりの女性が、ナチスによって収容所内で強制的に売春させられた。

ナチスは、売春や男性同士の性行為、物乞い、アルコール依存などを社会秩序にそぐわない「非社会的」な行動とし、プロの売春婦やホモなどを逮捕した。強制収容所で売春をさせられた女性たちには、こうしたプロの女性と別の容疑で逮捕された素人女性の二種類がいた。

最も注目されるのは、収容所を管轄するナチ親衛隊員だけのための売買春制度ではなかったという事実だ。収容者でありながら親衛隊の意をうけて他の収容者らを監督する立場についていた男性や、強制労働で特にいい成績をあげた収容者にも、「ボーナス」として買春がゆるされていたという。囚人男性と被害女性どちらの尊厳も深く傷つけられた。収容所の運営をスムースにし労働成績を向上させるための、ナチスらしい狡猾な手法だった。

パウルは、売春をさせられた女性四人へのインタビューを著書に匿名で収録している。そのうち、ドイツ人のWは、一九三九年、農場に雇われていた二十一歳のとき、ナチ秘密国家警察

（ゲシュタポ）にいきなり逮捕され収容所に入れられた。やがて親衛隊員らを相手に売春をさせられた。

戦後、西ドイツ政府に対し、ナチス迫害の犠牲者だったと認めろよう申請した。連邦補償法では、ヒトラー時代、政治的に迫害された者は国から補償を受けられることになっていた。しかし、「非社会的」な行為を理由に迫害された人びとは、その対象からはずされていた。

Wも申請を却下され、一九六三年、裁判に訴え、長年にわたる闘いのすえ一回限りの「補償金」を受けとった。さらに一九八八年、「非社会的」とされた人びともやっと補償されることになり、Wは、州のナチス犠牲者基金から定期的経済援助を受けられるようになった。だが、それも老齢年金との関係で支給が打ち切られたまま、一九九〇年に亡くなった。

Wは、わずかでも補償を受けられたが、それは、元強制売春婦としてではなかった。まして、外国人女性への補償は、公的レベルで検討されたこともない。

パウルは、著書の「日本語版への序文」でこう書いていた。

〈アジア諸国の女性の運動では、売春を強要された女性たちのそのことを公にしようとする勇気が決定的な要因となっている〉

しかし、日本のケースでは、韓国人などの元慰安婦らの〈勇気〉や訴えがはじめにあったのではなかった。まず、日本側のある個人や各種団体、メディアによって社会的、政治的問題とされた。その後、きわめて異例なことに、該当する原告の女性が日本人の自称・人権派弁護士らによって探し出されたり、自発的に名乗り出たりして、問題が裁判所や国連の場へ持ち込まれた。その際、大きな力を発揮したのは日本の一部の人たちだった。

パウルはそうした事情を知らなかった。著書が発売されたあとドイツ社会からどんな反響があったかが、筆者には興味があった。

「市民団体や行政からのアプローチはまったくありませんでした。被害女性の救済運動はなく、支援グループもありません。ジャーナリストからは何度かインタビューを受けました。フランクフルター・アルゲマイネ紙に、小さな記事がのりました。シュピーゲル誌にはこちらから接触しましたが、本に書いてあること以外に何かなければ記事にならない、と断られました」

ドイツ・メディアと強制売春

ドイツのメディアは、このテーマをどう扱ってきたのだろうか。初報は、一九九一年の「カッセル女性新聞」に、パウルと彼女の共同研究者が書いたものだった。つぎは雑誌「EMMA」一九九二年三月号の記事で、これはパウル単独のレポートだった。どちらもフェミニズムのマイナーなメディアであり、一般には伝わらなかった。マスメディアの報道としては、フランクフルター・アルゲマイネ紙をふくめ四本の記事だけが確認できた。

一九九五年十一月、パウルも協力して、三十分のテレビ・ドキュメンタリー「大いなる沈黙」が、公共第一テレビARDで放映された。

「日本では同様のことが政治問題化しているのに、ドイツでは世間の注目を集めてこなかった。強制収容所に売春宿があったことを否定する者たちさえいる」

番組はこう総括し、告発した。視聴者は二百万人近かったと推定されているが、大きな反響はなかった。電波メディアでこのテーマの特集が行われたのは、おそらく最初で最後だった。

本を書いたパウルなどのネットワークに、フリージャーナリストでケルン市学術顧問もしているモニカ・ビンゲン（一九五五年生まれ）がいた。ナチスによる強制断種などの問題に取り組み、強制売春についても調べてきた。一九九二年、ビンゲンは、大阪で開かれた従軍慰安婦問題をテーマとする市民集会に招かれ、席上、こう語ったという。

〈日本や韓国での慰安婦問題が、ナチス時代の強制売春、つまり慰安婦について調べるきっかけでした。ドイツではタブーでしたから。……ドイツでは、まだ慰安婦について問題意識がないことが問題です〉（朝日新聞一九九二年九月二日付朝刊）

ナチス強制収容所でも「強制売春」という名で女性が性的迫害を受けていた。だが、ラーヴェンスブリュック収容所記念館の学芸員シュルツは筆者にこう語った。

「旧日本軍をめぐる責任追及、補償要求のような運動はドイツでは決して起きないでしょう。

ドイツの世論は、この問題を提起することを支持していません」。

反ナチス抵抗派の恥部

ドイツ人社会は、ナチ犯罪（C）の追及には熱心だったが、強制売春にかぎっては非常に消極的だ。筆者がインタビューしたドイツ人たちは、たいてい「性にまつわる問題だから」と言った。日本でそれが大問題となっていることには「文化のちがい」を口にし、とまどいをみせた。

それだけだろうか。この問題を直視すると、買春した政治犯など収容者の責任も浮かび上がってくる。ナチスだけを〈悪いドイツ人〉としてスケープゴートにしたドイツ式過去の清算の構図が崩れてしまう。とりわけ、政治犯のなかには強制収容所内でもひそかに組織をつくり、戦後「反ナチス抵抗派《レジスタンス》」として英雄視されてきた人びともいる。それだけに、彼らの恥部である強制売春は、戦後七十余年経っても社会がタブーとする一因になっているのではないだろうか。

一方、国防軍は、大戦中に慰安所を設ける一方で、一九四〇年十月十日から軍人による強姦は親告罪とした。つまり、ドイツ軍に占領された地域で強姦された女性が、みずから占領軍当局に被害を届け出、しかもその事実が立証されないかぎり、兵士は罪にはならない。これは、事実上、強姦を黙認することを意味した。（スーザン・ブラウンミラー著『われわれの意思に反して』一九九二年。邦訳『レイプ・踏みにじられた意思』勁草書房。二〇〇〇年）

旧日本軍は、兵士の強姦事件を防止するため慰安所の設置に関与した。旧ドイツ国防軍は、強姦を事実上、認めていたのだった。

このように、ドイツの戦争責任は巨大で日本のそれと比較にならないほど多岐にわたり、被害者団体や周辺国から指摘・批判されたものだけに限って対応してきた。したがって、石破茂の発言に根拠はない。石破の戦後ドイツについての認識も独日ステレオタイプそのもので、同様だ。

国際政治学者・永井清彦——ヴァイツゼッカー演説の欺瞞を無視

第二次大戦後、敗戦国ドイツによる戦争の過去への取り組みは、国際社会から決して評価されてはいなかった。

西ドイツの心理学者ミッチャーリッヒ夫妻の著名な書『喪われた悲哀―ファシズムの精神構造』（河出書房新社。一九八四年）では、一九六〇年代後半の西ドイツにおいて，西ドイツ国民がナチズム下の戦争犯罪を直視することなく、それから逃避している事実が痛烈に批判されている。一九七九年に西ドイツ連邦議会で可決された「ナチスによる大量殺害を含む殺人罪全般の時効の撤廃」にしても内外世論との力学関係からの産物であり、必ずしも西ドイツの民主主義精神の健全さを証明するものではないとされた。

だが、国際社会のこうしたネガティブな世評を一変させたのが、一九八五年のヴァイツゼッカー演説だった。当時、たしかに国際社会は高く評価したが、とりわけそれにイデオロギー的な意図を込めて賛辞を与えたのが、日本の左派の知識人とメディアだった。

ヴァイツゼッカー演説を日本語に訳し、わが国での演説評価に決定的影響を与えたのが、永井清彦（一九三五～二〇一七年）だった。ドイツ公共国際放送ドイチェ・ヴェレのラジオ日本語放送記者をしていた。

ヴァイツゼッカー演説から半年後、岩波書店の月刊誌「世界」十一月号に演説テキストの全訳を掲載した。その見出しには〈過去に目を閉ざす者は結局のところ現在にも盲目となる〉という有名な一節が使われている。

「世界」に訳が載ると、特にわが国で、歴史見直し論＝歴史修正主義（リビジョニズム）を憂慮する人たちから、大統領演説に共感する新聞投書がつづいた。この年十一月三日付け朝日新聞のコラムも演説に触れている。そういう空気のなかで岩波書店は、翌年二月に全訳テキストのブックレット『荒れ野の40年　ヴァイツゼッカー大統領演説全文』を出した。これはヴァイツゼッカー神話のバイブルのようになり、演説から三十五年を過ぎた現在も版を重ねている。

したがって、あの演説の〝精神〟は、いわゆる東京裁判史観を金科玉条とする勢力によって支持され広められたことになる。

永井は、ブックレットに「翻訳に際して」と題した文章を書いている。

〈一九八四年七月に就任して以来のフォン・ヴァイツゼッカー大統領の評価はきわめて高い。折りにふれての演説は多くの人の共感を集めているが、なかでも国の内外からもっとも注目され、感動をよんだのがこの演説である。演説後約二カ月ほどの間に学校、個人などに配布されたテクストが九十万部、大統領に宛てた感想の手紙が四万通というほどの〝ベストセラー〟ぶりであった〉

〈大半が賛意と感動を語り、新聞の社説も一せいに称賛した。この演説に表立って異を唱えたのはわずかに難民の団体ぐらいのものであろう〉

ここで言う難民とは、ドイツ敗戦により移住先の東ヨーロッパを追われ苦難の末祖国へ帰って来たドイツ人たちのことを指す。

永井はまた、ヴァイツゼッカーについて〈理性と高い倫理性とによる統合の象徴として見事な役割を果している〉とも述べている。

ここでは永井訳で、演説のごく一部を紹介しておく。

〈大抵のドイツ人は自らの国の大義のために戦い、耐え忍んでいるものと信じておりました。ところが、一切が無駄であり無意味であったのみならず、犯罪的な指導者たちの非人道的な目的のためであった、ということが明らかになったのです〉

〈犯罪的な指導者たちの非人道的な目的のためであった〉と切り捨てるのは、ヒトラー時代に青春を生きたヴァイツゼッカーとして、正当な歴史認識だろうか。

ギュンター・グラスの解放説批判は無視

ヴァイツゼッカーは、ドイツが正式に降伏した一九四五年五月八日について、こう語った。

〈振り返れば暗い奈落の過去であり、前には不確実な暗い未来だけでした。しかし日一日と過ぎていくにつれ、五月八日が解放（ベフライウング）の日であることがはっきりしてまいりました。このことは今日われわれ全員が共通して口にしていいことであります。国家社会主義《ナチズム》の暴力支配という人間蔑視の体制からわれわれ全員が解放されたのであります〉

ヴァイツゼッカー演説の二日前、ノーベル文学賞作家のギュンター・グラス（一九二七～二〇一五年）は、やはり戦後四十周年を記念し、ベルリンの芸術アカデミー講堂で講演した。『ブリキの太鼓』（一九五九年。邦訳は集英社）などで知られる戦後ドイツを代表する作家だ。演題は「贈られた自由　拒絶、罪、つかみそこねたチャンス」だった。

グラスは、こう語った。

〈一九四五年五月八日は、ドイツに占領されドイツ人の犯罪に苦しんだ人びとにとって、ファシズムにたいする最終勝利であり、ドイツ人からの解放を意味しました。ドイツ人にとって、

この日は何よりもまず軍事的、イデオロギー的敗北の日でした〉

　グラスは高校卒業後に徴兵され、一九四五年四月に負傷し、敗戦で米軍捕虜となった。彼は講演のなかで、つづいて当時の東西両ドイツ国民の自己欺瞞を批判した。

〈自分を解放されたひとりに数えることが、あまりにも誘惑的でしたし、いまもそうです。その際、ドイツ国民の大多数はこの解放を妨げるために何でもやった、という悩ましい記憶は抑え込まれるのです〉

　講演を聞いたのは、東西両ドイツの芸術アカデミー会員だった。当時の全国紙六紙をチェックすると、高級週刊紙ツァイトが講演テキスト全文をコメントなしで掲載した以外、他紙にはいっさい載っていない。ベルリンで発行されているローカル二紙が、グラス演説の内容をかいつまんで記事にしたが、このくだりにはふれていない。現代ドイツを代表する作家が、鋭く冷静な歴史認識で指摘した事実は、国民に伝わらなかったのだ。

　ドイツのメディアはまっとうな歴史観に立つグラス演説を無視したため、永井もそうした「正論」の声があることは知らなかったのだろう。

　ドイツには、報道の自由があるようで、いざ国益となると指導者の足を引っ張るメディアはほとんどなく、歩調をそろえる。最近の例としては、新型コロナ禍対応でメルケル首相が高く評価されたケースもそれだ。一方、日本の反日メディアは、根拠なく政権の揚げ足取りをして、報道の自由を謳歌していても「日本には十分な報道の自由がない」と内外に声をあげる。そのため、自由度の国際評価が異様に低い。

神話の伝道師

永井が絶賛したヴァイツゼッカー演説は、冷静な歴史家からみれば歪曲と自己正当化の独善的な歴史観がちりばめられている。しかし、ドイツのメディアはそうした揚げ足取りをしなかった。そこが日本の左派メディアと決定的にちがう。

演説テキストの日本語版は『荒れ野の40年』というタイトルを持つ。当時、月刊誌「世界」の編集長だった安江良介が名づけた。演説が繰り返し旧約聖書での〈四十年〉に言及しているところを捉え、旧約の民の荒れ野での〈処罰と恵み〉の四十年、それと大戦後のドイツの苦節の四十年と重ね合わせた。

だが旧約聖書によれば、イスラエルの民は荒野を出てヨルダン川を渡り、神ヤハウェが約束した地カナンを武力侵略した。城塞都市エリコの戦いでは老人、男女、子ども、牛もラクダも皆殺しにして焼き払い占領した。その残虐さは神によって正当化されるものの、異教徒からみれば理不尽で独善的な侵略・虐殺行為だ。『荒れ野の40年』がタイトルとしてふさわしいか疑問も残る。いや、演説は理不尽で独善的だったから、ふさわしいとも言えるだろう。

永井はその後もヴァイツゼッカーを絶賛しながら関連の書籍をくり返し出した。『ヴァイツゼッカー演説の精神』（岩波書店。一九九一年）、『言葉の力　ヴァイツゼッカー演説集』（岩波書店。二〇〇九年）などだ。

永井はドイチェ・ヴェレを去ったあと英紙ザ・タイムズの記者となり、さらに日本で桃山学院大学、玉川大学、共立女子大学の教授を歴任した。長年ドイツに住み、ドイツ人の国民性を知る機会はたくさんあったはずだ。

たとえばドイツで、スーパーのレジ係が商品の値段を打ちまちがえ、それを指摘しても、「レジ機の調子が悪い」などと言い訳し決して自分の非を認めない。筆者はドイツ在勤中、ほぼ毎週末、日本人外交官などとテニスを楽しんでいた。となりのコートのドイツ人たちが、ボールがコートのインかアウトかで三十分でも一時間でもプレーを止めて言い争い、互いに譲らない光景を何度もみかけた。あるドイツ人の友人に聞くと、学校で「自分の非を容易に認めてはいけない、譲ってはいけない」という教育を受けるのだという。日本のように、自分に非はなくてもとりあえず「すみません」と謝れば済む文化の対極にある。

そういう国民性のドイツ首脳が、戦争の過去、ナチスの過去について、一見、非を認める演説をしたことに、永井は「何かカラクリがあるのでは」と素朴な疑問を持たなかったのだろうか。そういう鈍感さは、ドイツ留学経験のある大多数の日本人ドイツ近現代史研究者にも言えるだろう。

いずれにせよ、永井はわが国でヴァイツゼッカー神話の確立に寄与した。

作家・赤坂真理——戦争を知らない世代の思いつき？

赤坂真理は、二〇一九年、小説『箱の中の天皇』（河出書房新社）を発表した。奥付にあるプロフィールには、ちょっとわかりにくいが、このように書かれている。

〈体感を駆使した文体で、人間の意識や存在の根源を問い続ける。二〇一二年、アメリカで天皇の戦争責任を問われる日本人少女の目を通して戦争と戦後を描いた問題作『東京プリズン』が大きな話題となり、戦後論のさきがけとなる。同作で毎日出版文化賞、司馬遼太郎賞、紫式部文学賞を受賞。……〉

『箱の中の天皇』では、埼玉の老人施設で傾聴ボランティアをしている主人公マリの言葉として、ヴァイツゼッカー演説を語っている。

〈誰に言うともなく、何を言うかもわからないまま、わたしは話し出した。

「わたしは、一九八五年五月八日、第二次世界大戦がヨーロッパで終結してから四十年の節目に、ドイツのヴァイツゼッカー大統領が連邦議会でした演説を思い出していました。あれは、わたしの救いでした。なぜ救いだったのか、今よくわかりました。あれは、わたしの国の戦後に切実に必要で、でも、無かった言葉だったからです。

　あれほどのことがあった後には、共同体は、新しい物語、新しい言葉を必要とします。そしてその新しい言葉は、過去を受け止め、あらためるべきをあらためて、新たな道を模索することでなければなりません。あれほどの傷は、ただ時が過ぎるだけでは癒えません。影響力のある誰かが、それを言葉にしなければならなかった。そういう節目と言葉が、日本にはなかった。もし日本にもあったら、どれほどの心が救われたかしれません。そういう人たちの心のケアに、予算がとられるようになったかもしれません〉

　過去の罪過を抱えるドイツには、ヴァイツゼッカー演説のような「言葉」が必要だった。だが、同じような過去を抱える日本にはそういう言葉を語る指導者がいなかった、とする。

〈ヴァイツゼッカーはその日、こんなふうに言いました。五月八日は心に刻むための日である。ある出来事が自らの内面の一部となるように。そして、あの戦争で傷ついた人たちのことを細かに挙げ、彼らの痛み苦しみ、そして悲しみを、心に刻んで忘れないようにしようと言いました。戦争で傷ついた人とは、ホロコーストの犠牲者や、戦闘で死亡または負傷をした人たちばかりではありません。他国の民族、殺されたジプシー《ロマ》たち、同性愛者たち、レジスタンスたち、精神障害者たち。空襲におびえた人たち、故郷を追われた人たち、暴行・掠奪された人たち、強制労働につかされた人たち、不正と拷問、飢えと貧困に耐えた人たち、迷いつつも信じ、そのために働いたものが無価値と知った人たち、そういう数限りない身体と心の傷。暗い日々にあって、人間性の光が消えないよう守りつづけた女たち。戦争で他者を助けるために生涯独身で孤独だった女たち……そういう、すべての嘆きと悲しみを、忘れないようにしよう、と。

ドイツの敗戦処理にも問題はあります。すべての悪をヒトラーに負わせて切り離すことは、本来はできなかったのかもしれません。それでも、戦争で傷つくのが誰なのか、という想像力が、見事なのです。それが、死や空襲におびえ、信じた価値を失って心さえ喪失した両親に育てられた子供である、日本のわたしにも、届いたのです。わたしの生きづらさも屈折も無力感も、少し慰められた気がしました。誰かがわかってくれるだけでいい。世界のどこからか誰かが見てくれていると思えるだけでずいぶんちがう。でもやはり、これが自分の国の政治家であったら、と願わずにはいられませんでした〉

ヴァイツゼッカーの言葉にはさまざまな人たちへの配慮があったと、賛辞をつづける。一方で、〈日本の政治家〉の言葉の貧困を指摘する。

だが、政治家の言葉は、それが格調高く人びとの胸に響くものであればあるほど慎重に注意深く受け取らなければならない、という一般論を忘れているようだ。

まして、ヴァイツゼッカーは、「演説の天才」とされたヒトラーがのし上がった国の大統領だった。ドイツ語と日本語のちがいもあって、ドイツ首脳の演説は概して過大評価される。そして、先述のように、わが国とちがってドイツのメディアは首脳を概して持ち上げる。

赤坂は、新型コロナウイルス蔓延《まんえん》に伴いわが国で緊急事態宣言が出され、いっそうの「自粛」を要請されたことについて、共同通信に寄稿した（山陰中央新報では二〇二〇年四月二十八日付）。そこで赤坂は、三月十八日にドイツのメルケル首相が行ったテレビ演説を、国民がなにをすべきか明示していることなどから〈見事だ〉と手放しで絶賛する。

実際には、その演説の二週間前、ドイツ政府は医療用の防御マスクや防御服が国外に出ることを禁じた。この時点で、コロナによるドイツの死者はゼロ、感染者は累計二百六十二人に過ぎなかった。イタリアは三千八十九人が感染し、その一週間後には一万二千五百人となって防疫物資を緊急に必要としていた。

それにもかかわらず、ドイツはイタリアにもフランスにもオーストリアにも渡さなかった。すでに決済が済んでいたもの、輸送の手続き上、ドイツにストックしてあっただけのものさえ出そうとしなかった。ドイツは常日頃「ヨーロッパの連帯」を叫ぶが、そのあまりに利己的な態度にEU諸国はあきれかえったとされる（川口マーン惠美　Ｈａｎａｄａ二〇二〇年六月号）。

メルケルは演説で、自国以外のことにはいっさい言及しなかった。

ヴァイツゼッカーにしろメルケルにしろ、ドイツ指導者の立派な言葉の裏に何か隠されたものはないのか、作家ならもう少し深く探ってから筆を執るべきではなかったか。

小説『箱の中の天皇』終盤でのヴァイツゼッカー演説のくだりは、筆者にはやや唐突に感じた。特に、五月八日という日については、本章でくり返し問題点を指摘した。

赤坂は、一九六四年生まれで戦争を知らない世代だ。ヴァイツゼッカー演説の日本語訳を読んだだけで、その背景も知らず、ただ素直に感銘を受けて作品に書いたのだろうか。ドイツと日本の戦争の本質的なちがい、さらに、ヒトラーが総統で昭和天皇が軍の形式的トップの大元帥だった両国の国情を十分に考慮しないまま、小説とは言えあの演説を賛美することはフェアなのだろうか。赤坂も独日ステレオタイプの発信者だった。

ここでは、戦後ドイツを研究するある日本人学者が、拙著『〈戦争責任〉とは何か　清算されなかったドイツの過去』を読み、筆者にごく短い感想を寄せたメールを紹介しておく。〈気のきいたコメントを思いつきません。われわれはヴァイツゼッカーを神格化していたようです〉

東大教授・石田勇治——愚かな「過去の克服」論

【コロナショック　改憲「緊急事態」の強権危惧　ナチ前夜と相似点ないか】

こういう見出しの大きなインタビュー記事が、毎日新聞二〇二〇年四月十五日付夕刊二面に載った。東大教授・石田勇治（六二）に聞くという形だ。

安倍晋三首相（当時）が四月七日に緊急事態宣言を出し、〈人の移動や集会の自由を制限できる強大な権限を手にしたことになる〉と記事にはある。その翌日に毎日新聞が実施した世論調査で、宣言を「評価する」との回答は七二％を占め、「評価しない」は二〇％にとどまった。七割の民意が気に入らなかったのだろうか。毎日は、宣言を評価する声が大きいと危惧し、それがこの記事の素地となったようだ。

石田は、〈ナチ前夜のドイツといまの日本は安易に比較できない〉としながらも、両者の相似点を指摘する。

〈当時のドイツでは、民主憲法を支える合理的でリベラルな政治家が表舞台から退場し、代わりに、国民の情念に働きかけるタイプの指導者が目立つようになりました〉〈このまま政治不信と無関心が続けば、「気づいた時はひどい憲法に変わっていた」ということになりかねません〉

暗にヒトラーと安倍を対比させ、安倍主導の憲法改正を牽制する。ヒトラーは国民の高い支持によって政権の座につき、やがて独裁者となった。

石田は〈自民党改憲案の「緊急事態対応」には、「政令」を解除する手続きも期限も書かれておらず、危険極まりないものです〉とする。これは、憲法を議論さえしない野党が議論に乗ってきたときの〝譲歩スペース〟として取ってあるはずのものだ。自民党が改憲案をそのまま、ごり押しするつもりはないだろう。

石田が専門家として強調すべきは、「ドイツでは基本法（憲法）の論議を党利党略や政局には使わない」という良き伝統のほうではないか。わが国では、これまで、野党指導者らが憲法を党利党略に利用してきた。

阪大名誉教授の加地伸行は、石田のこの毎日記事について、Ｈａｎａｄａ二〇二〇年八月号の巻頭でばっさり切り捨てている。

〈愚かな話である。形の上の類似など、歴史書を繙《ひもと》けば、無数にあるではないか。論を立てるならば、類似に凭《もた》れ掛かるなどという安直なことをするな、雑談ならばともかく〉

気に入らない政治家とか政治情勢をヒトラーやナチス時代になぞらえる手法は、弁護士で前新潟県知事の米山隆一なども用いており、その安易さ見識のなさが失笑を買っている。

石田勇治は、二〇〇二年、『過去の克服　ヒトラー後のドイツ』という書籍を白水社から刊行した。三百四十四ページにおよぶ大冊だ。プロローグの冒頭にこう記されている。

〈「過去の克服」という言葉は、ドイツ連邦共和国の初代大統領テオドーア・ホイスによって人口に膾炙《かいしゃ》したといわれるが、現在では普通、ヒトラー支配下のドイツ、つまりナチ・ドイツの暴力支配がもたらしたおぞましい帰結にたいする戦後ドイツのさまざまな取り組みを総称す

る言葉として用いられている〉

ナチス・ドイツを単に〈暴力支配〉のひと言で片付けるのは、やや粗雑にも思える。ヒトラー政権は選挙の結果誕生したが、そのナチ党（国家社会主義ドイツ労働者党。筆者注：近年は国民社会主義―と訳す日本人研究者もいる）の得票率は最高九五％で、たとえば北朝鮮の一〇〇％とはちがう。有権者はヒトラーのナチ党に一票を入れないこともできた。

しかし、戦後のドイツ国民は、ヒトラーとナチスを絶対悪のスケープゴートとして、心理面をふくむ戦後処理をしてきた（五十頁の図表1参照）。

石田は、ナチ不法の被害者に対する補償、ナチ犯罪の司法訴追、ネオナチの規制、現代史重視の歴史教育を列挙し、〈これらの取り組みは互いに密接に連関しながら全体として戦後ドイツの民主主義を育み、ナチ時代の「負の遺産」の清算に寄与してきた〉とする。

この書き出しからもうかがえるように、石田は、ドイツ人、特に政治家らがしばしば口にする「過去の克服」を極めて肯定的にとらえ、戦後ドイツはその過去を清算したとしている。

これが出版されてまもなく、筆者に北海道新聞東京支社編集局社会部のS記者から、「書評を書いて欲しい」と依頼があり、手紙とともに本が送られてきた。

筆者はその前年、『〈戦争責任〉とは何か　清算されなかったドイツの過去』を中公新書として上梓していた。それは朝日新聞書評欄のトップで大きく好意的に評価されたのをはじめ、各紙誌でも取り上げられた。朝日は、かねてから、戦後ドイツによる過去の取り組みを高く評価し、返す刀で戦後日本を強く批判してきた。それだけに、拙著についての朝日の高評価は、中央公論新社の担当編集者も驚いていたし、筆者にも意外だった。

新書の副題にもあるように、筆者は「ドイツの過去は清算されなかった」ことを、ドイツをはじめとするヨーロッパ三か国の歴史家や政治学者、ジャーナリスト、元軍人、戦争被害者などに直接取材し、また、一般に知られざるドイツ語、英語の史・資料も発掘して論証した。

そういういきさつから、北海道新聞は、石田著『過去の克服』についてその対極とも言える作品を書いていた筆者がどう評価するか、興味を抱いたのだろう。しかし、筆者は、そのタイトルをみただけで書評を書く気にはなれなかった。書くとすれば一刀両断にするしかないが、そのころ体調を崩していたこともあり申し出を丁重に断った。

時は経ち二〇一四年、この本は同じタイトル、プロローグからあとがきまで、まったく同じ内容で新装版として出版された。帯に「10出版社共同復刊」とある。今回はその新装版を熟読し、はっきりした結論を得た。この本は、学術的な装いをして、独日ステレオタイプを決定的に広めた一書だということだ。筆者が数えたところ、戦後ドイツでの少なくとも六つの重大な事象を無視して書かれている。以下、検証していきたい。

「ニュルンベルク裁判史観」に触れていない

わが国は、敗戦後のGHQ（連合国最高司令官総司令部）による間接占領のさなか、戦勝国が開いた東京裁判により裁かれた。訴因AとCは新設されたものだった（五十一頁の図表2参照）。「事後法」だとの批判だけでなく、戦勝国側の戦争犯罪はいっさい問われず、当初から「一方的な勝者の裁きだ」との批判もあった。日本では、AとBが議論の対象となっており、事実、東京裁判でCの罪によって裁かれた者はいない。

東京裁判が日本国民に与えた影響は、いまに至るまで非常に大きい。たとえば、広島・長崎に原爆を投下したのはアメリカであり、〈人道に対する罪〉（C）だと言える。だが、アメリカの罪責を問う声はわが国でほとんど聞かれない。

進歩的文化人など左派は、東京裁判で示された歴史観に立って近現代を論じてきた。言わば、東京裁判の首席検察官を務めたジョセフ・キーナンのような立場から、しばしば日本を批判し断罪する。

それは東京裁判史観、戦勝国史観だと批判する声も根強い。自虐史観という言い方も同様の意味を持つ。

NHKは二〇二〇年八月、全四回シリーズのドラマ「東京裁判」を再放送した。これは二〇一六年十二月に放送したものから、ほとんど内容が変更されていなかった。当時、〈内容が偏向しており、新たな研究成果もまったく反映されていない〉と批判が集まったものだ。ひと言で言えば、東京裁判を絶対視し、約七十年も経つのに批判的な視点に欠ける番組だった。つまり、東京裁判史観の国民向けプロパガンダ番組と言える。

では、この日本における東京裁判史観に相当するニュルンベルク裁判史観なるものが、果たしてドイツにはあるのだろうか。

エアランゲン大学のグレゴール・シェルゲン教授（一九五二年生まれ）は、研究室で筆者にこう説明してくれた。日本でも高い評価を受けている気鋭の歴史学者だ。講義のない日だったが、インタビューのため大学へ来て待っていてくれた。

「ああした裁判は誰も好みませんでした。一方で、誰も、ドイツがあの戦争について罪があるということに疑いを持ちませんでした。ドイツ人の第二次大戦に対する態度というのは、まず忘れようとしたということです。多くのドイツ人は、ニュルンベルク裁判を受けた戦犯の処刑によって、すべてのことは多かれ少なかれ終わってしまったと考えました。特に、冷戦によって連合国の敵から同盟国に変わったのが影響しました」

ニュルンベルクの歴史家グラーザー博士はこう言った。

「ニュルンベルク裁判などは連合国・戦勝国のプロパガンダだ、と多くの人たちは考えていました」

ベルリン自由大学のヴォルフガング・ヴィッパーマン教授（一九四五年生まれ）も語った。

「冷戦のさなか、ドイツ人はニュルンベルク裁判のことを忘れたんです」

『ニュルンベルク戦犯裁判の非タブー化によせて』という論文集が、一九八七年に出版されていた。このタイトルからは、裁判がタブーとされていたことがうかがえる。

寄稿者のひとりでもあるグラーザー博士は言った。

「論文集の編者であるイェルク・ヴォレンベルグ氏は、あの裁判で問われたことについての啓蒙がまったく不十分である、と非常に批判的に考えています。ヒトフーの第三帝国に直接関与したたくさんの者たちが、あとになって民主主義者になりかわった。過去についてふり返ろうとすると、いたるところにタブーがある、と彼はいうのです」

つまり、ドイツにはニュルンベルク裁判史観なるものは存在しない。戦争や戦争責任、戦後処理と言っても、ドイツと日本ではその意味するところがまったくと言っていいほどちがう。

シュピーゲル誌のマンフレート・エルテル編集者（一九五〇年生まれ）は、ハンブルクの本社会議室で筆者がインタビューしたときこう語った。政治ジャーナリストで戦後補償問題の専門家だという。

「ドイツと日本を比較して議論するというのは、ほとんど不可能だと思います。ドイツで侵略戦争について議論したり、戦争と平和の博物館を建設したりすることはできません。すべてはホロコーストの影におおわれているからです。ドイツ社会は何十年ものあいだ、われわれはどうやってホロコーストを扱えるのか、恥や痛みや罪と責任を反映する方法をどうやって見つけられるかという主要な議題を抱えてきました」

エルテルは専門記者という割には、独ソ戦争を包括的に扱ったドイツ＝ロシア博物館がベルリン郊外にあることさえ知らなかった。そこのヤーン館長が嘆いていたように、ドイツ人は戦争の過去など忘れ、無視してきたのだ。

グラーザー博士はこう言った。

「平和に対する罪（A）はみな認めています。それは私や私の家族ではなく政府であり指導者たちのやったことだ、と人びとはいつも言うわけです」

エアランゲンのシェルゲン教授は、別の角度から表現した。

「平和に対する罪つまり侵略戦争はどこでも起こったことであり、誰でも知っていることだから、いまさら話す必要などないとみんな考えました」

誰の言葉だったか失念したが、「侵略戦争（独Angriffskrieg、英war of aggression）というのは歴史学の専門用語です。メディアでもほとんど使われません」と指摘した。

ナチス・ドイツに侵略された諸国のほとんどは、大なり小なりどこかを侵略した経験があった。まして、西側各国は、東西冷戦で西ドイツの軍事同盟国となり、その侵略の過去を正面から批判することはなかった。ヒトラーのドイツとスターリンのソ連は独ソ不可侵条約を結び、秘密議定書でポーランドを東西から侵略し、分割占領することを認め合った。ポーランドも、一九三八年、ナチス・ドイツの片棒をかついでチェコスロバキア解体に加わり、チェシン地方を武力併合した。

シェルゲン教授は、こうも言った。

「日本のケースでは、ホロコーストのようなものは起きなかった。だから、かつて日本によって犠牲となった人たちは、平和に対する罪（A）や戦争犯罪（B）について語るんでしょう」

歴史家カール＝ハインツ・イェンセンは、一九八七年の論文で、のちに大統領となる青年将校のヴァイツゼッカーが、ニュルンベルク裁判をこう否定していたエピソードを紹介している。

〈「いまやおれたちは、武器をとって戦車を追い払い看守を襲って囚人を手中にするべきだ」。びっくりした仲間が、本気でナチ戦犯を解放するつもりか聞くと、その元軍人はこういった。「そうさ。でも、おれたち自身で彼らを裁くためにな」〉

西ドイツ連邦議会もニュルンベルク裁判を「勝者の裁き」だと非難した。一九五二年九月十七日付議事録を読むと、こんな主張がくり広げられていた。敗戦直後の大混乱から立ち直りはじめ、冷戦の本格化のなかで再軍備問題などが浮上していたころだ。

連邦司法相フォン・メルカッツ〈キリスト教社会同盟＝CSU〉〈法的根拠、裁判方法、判決理由そして執行の点でも不当なのです〉

議員メルテン〈社民党〉〈この裁判は正義に貢献したのではなく、まさにこのためにつくり出された法律をともなう政治的裁判であったことは、法律の門外漢にも明らかです〉

エーヴァース〈ドイツ党〉〈戦争犯罪人という言葉は原則として避けていただきたい。……無罪にもかかわらず有罪とされた人びとだからです〉

西ドイツの各党が、こぞってニュルンベルク裁判を批判的に語っている。それが当時の世論の圧倒的多数派の声だったのだろう。

先の大戦の戦勝国によって、敗戦国として国際軍事裁判にかけられたのはドイツと日本しかない。そのドイツでは「ニュルンベルク裁判史観」なるものがなく、わが国の「東京裁判史観」は類例のない独特のものであると言える。実は、この史観は独日ステレオタイプの素地となっている。

ちなみに、わが国で東京裁判とニュルンベルク裁判の日独両国それぞれでの受け止め方を本格的に比較研究した例はないようだ。ある法学部政治学科の学生が書いたゼミのレポートが、ネット上で例外としてみつかった。プロの研究者は何をしているのだろうか。

ヴァイツゼッカー演説「五月八日は解放の日」の意味

ドイツが無条件降伏しヨーロッパでの第二次大戦が終結してから満四十周年にあたる一九八五年五月八日、リヒャルト・フォン・ヴァイツゼッカー大統領は、ボンの連邦議会議事堂で演説した。演説は九つのパートにわかれている。

『過去の克服』で石田はこう書いている。

〈大統領は、ドイツ人自身が人間蔑視のナチズムに呪縛されていたことを認め、ようやく敗戦の日にその呪縛から解放されたのだと述べた。ヴァイツゼッカーは、ナチ国家のために戦いたおれた多くの人の死を「犬死」と言い切ったに等しいのだが、その背景にはナチ国をまったくの不正国家とみなす大統領の明確な認識があった〉

これをドイツ政府発行の原文演説テキストから正確に引用すると、大統領は第一部で、ドイツ人にとっての五月八日の意味について語り、こう断言した。

〈五月八日は解放の日でした。ナチズムの暴力支配という人間蔑視の体制から、あの日われわれすべてを解放したのです〉

この解放された〈われわれすべて〉という言葉は、〈善いドイツ人〉とされてきた一般国民と国防軍将兵らを意味するだろう。後述するように、ヴァイツゼッカー自身も徴兵され将校となった。

ドイツの歴史家らによると、ドイツ首脳がこうした文脈で「解放」という表現をつかったのは、この演説がはじめてだった。そして、終戦はドイツ人にとって解放だったのかどうかが論議を呼んだ。

「解放」というおかしな言葉の歩み

戦後ドイツでの「解放」という言葉の歩みをたどることにする。

一九四六年三月五日、連合国占領軍がつくった法律には、こんな名前がつけられている。「国家社会主義（ナチズム）と軍国主義（ミリタリズム）からの解放のための法」。

こういうとき、法律名に「解放」などという表現をつかうだろうか。ベルリン自由大学のヘニング・ケーラー教授は筆者にこう言った。

「『解放』という言葉は、きっとドイツではなく連合国の発案でしょう。規則はすべて連合国が草案をつくっていましたから。それもどちらかといえば、『資本主義、帝国主義からの解放』というプロパガンダをしていたソ連によるものかもしれません。西側とくにアメリカは、もともとドイツ人の『解放』など狙っていませんでした。非ナチ化の過程ではじめて犠牲者を区別すること、つまり『解放』を考えたんです」

非ナチ化については、【第四章　世界を欺いた「ドイツはナチの被害者」】で説明する。ケーラー教授は、アメリカ参謀総長が、ドイツを占領したヨーロッパ連合軍最高司令官アイゼンハワーに出した指令「JCS1067」を根拠としてあげた。歴史家のあいだではとても有名な指令という。そこでは、はっきりこう書かれている。

〈ドイツは、解放されるのではなく、敗戦国として占領される〉

ゲーラー教授によれば、ドイツ人も、当初は解放ではなく敗北だと考えていた。政治犯として投獄されたことのある初代首相アデナウアーでさえ、回想録で「解放というのは欺瞞だ」と書いているという。

教授は、当時のこんなジョークを紹介してくれた。

「だれもソ連のプロパガンダを信用せず、ロシア人が私を腕時計から〝解放〟したなどと皮肉っていました」

ソ連兵がベルリンなどを占領し、ドイツ人の腕時計など貴重品を強奪したという意味だ。

では、西側で「解放」という言葉を最初に使ったのはだれだろうか。フランクフルター・ルントシャウ紙一九四五年八月十五日付の一面に、トルーマン大統領のワシントンでの演説が載っていた。

〈ドイツやドイツによって占領されていた国ぐにの破壊の惨状について、トルーマンは報告した。……ドイツは、こうした惨状をもたらした権力者たちから解放されなければならない、と

トルーマンは語った〉

一方で、ドイツ人たちはだれも、敗戦時に解放されたとは考えてもいなかった。しかし、ドイツ人の解放という発想が、後述する占領側の非ナチ化政策によって生み出され、やがて法律名になった。そして、戦後の憲法（基本法）にも生きつづけていまに至っている。

〈第一三九条　ドイツ国民を「国家社会主義および軍国主義から解放」するために発布された法規定は、この基本法の規定に抵触しない〉（『世界諸国の憲法集』木下太郎編。暁印書館）

言うまでもなく、憲法というのはその国の法律の基礎となるものだ。しかし、ドイツの基本法にはそれに影響されない特別の法律があるという。それが、ドイツ人をナチズムや軍国主義から「解放」するために、連合国が主導してつくった法律だった。

解放という言葉は、いつのまにか、汚点をもつドイツ人をクリーンにする呪文のようになった。そして、被害者としての立場を象徴する呪文となったことがうかがえる。

ドイツ出身の心理学者で精神分析家のエーリッヒ・フロム（一九〇〇～一九八〇年）は名著『自由からの逃走』（日高六郎訳、原著一九四一年。邦訳、東京創元社。一九〇八年）で、こう書いている。

〈ナチズムにたいする攻撃はドイツにたいする攻撃であると感ずるので、ナチでない人間でさえも、外国人の批判にたいしては、なおナチズムを擁護するというようなばあいが多くみられる〉（日高訳）

フロムは、ナチスが台頭する時代のドイツで暮らしていた。これは、当時、ナチズムを擁護する者もドイツにはたくさんいたとの証言だ。ヴァイツゼッカー演説は、まさに過去をねじ曲げ、ドイツ一般国民をナチ支配による被害者つまり〈善いドイツ人〉として強調し、敗北に至る過去においていかに国民に罪過があったかを糊塗《こと》したのだった。

永井清彦の項でふれたように、ノーベル賞作家ギュンター・グラスが講演で示した鋭く冷静な歴史認識は、メディアが無視し国民に伝わらなかった。だが、ヴァイツゼッカー演説より、グラスの指摘のほうが明らかに史実に沿っている。

ベルリン自由大学のライマー・ハンセン教授（一九三七年生まれ）は、一九九五年の論文「政治的区切りとしての一九四五年五月八日」で、こう指摘している。

〈五月八日を憎むべき独裁のくびきからの解放としてのみ理解すると、ナチズムを致命的に過小評価してしまうことになる。ナチズムは、外部から国民に強要されたものではなく、社会的、政治的な活気あふれる力だった。……現在の私たちが知るところでは、圧倒的多数のドイツ人にとって、五月八日は、外部の力でナチスの暴虐が排除された日以上のものではない〉

「ヒトラーの被害者」としてのドイツ人

ヴァイツゼッカー演説から十年後の一九九五年、ドイツで五月八日の意味づけについての世論調査が実施され、「解放」と答えた人は八〇％にのぼった。六十歳以上では六九％、三十歳未満では八七％で、年代が低いほど「解放説」が定着していることをうかがわせた。「敗北」としたのは一二％だった。

歴史家らによると、一九八五年の演説以前は、五月八日の意味が論じられることはほとんどなかったという。ドイツ国民をヒトラーとナチスの被害者つまり〈善いドイツ人〉としての立場に置くヴァイツゼッカー演説は、ドイツ国民の歴史認識に非常に大きな影響を与えたことになる。このとき、ヒトラーとナチスは〈悪いドイツ人〉でありスケープゴートとして確定されたとも言える。

職業軍人だったフランクフルト大学のイリング・フェッチャー元教授（政治学、一九二二年生まれ）に会うと、こう述懐した。

「われわれは打ち負かされ占領されました。終戦直後は『崩壊』といわれていましが、それさえちょっときれいごとすぎる自己欺瞞の言葉です。あれは、軍事的な敗北でした。そして、独裁から一歩一歩、民主的な共和国になりました。したがって、まず敗北がありそれが政治的、経済的そして文化的な解放の前提となったんです」

これがまともな歴史認識であり、終戦を「解放の日」と断言するのは、歴史の意図的な単純化ないし歪曲ではないだろうか。

石田勇治は、ヴァイツゼッカーの立脚点を無批判に認めているように思える。そうしたドイツ観は、独日ステレオタイプ発信者らによってわが国に蔓延《まんえん》した。

ヘルツォーク演説に触れていない

舛添要一の項で、一九九四年のヘルツォーク大統領演説について述べた。大統領はワルシャワでこう語った。

〈本日、私は、ワルシャワ蜂起の闘士やすべてのポーランド人戦争犠牲者のまえに頭を垂れます。ドイツ人が彼らにしたすべての行いについて、許しを請います〉

その演説の歴史的意義を、最も的確に解説したのは、ドイツのリベラル紙フランクフルター・ルントシャウ（一九九四年八月三日付）だった。エディト・ヘラー記者が「ワルシャワでの和解」と題して書いた。

〈ヘルムート・コール（当時の首相）やリヒャルト・フォン・ヴァイツゼッカーは、ドイツの不当な行為について語り、そのすぐあとに、もちろん罪の相殺をするつもりはないがとしながら、相手側も不当行為をしたことに触れた。ドイツ人政治家の雄弁な和解演説にはすべて、ポーランドがドイツの過去につけ込もうとしているとでもいうような、やや慇懃無礼なところがみられた。反対に、ヘルツォークのワルシャワ訪問にはそうした気配はまったくなかった〉

つづいてヘラー記者は、許しを求めたヘルツォークの言葉は、一九六五年、ポーランドのカトリック司教らがドイツに送った和解を願う手紙への「真の回答」だったとする。手紙の逸話は、ドイツ人やドイツ研究者にはよく知られているそうだ。司教らはこう書いた。

〈キリスト者として、また人間としての精神において、私たちは手を差し伸べます。私たちは許し、また、許しを請います〉

ヘラー記者ははっきりと指摘する。

〈ドイツという国の公式代表がポーランドで許しを請うまでに半世紀もかかったことは、驚くにあたらない。ヘルツォークは、ワレサの招請のおかげで可能となった最初の瞬間をとらえ、その歴史的意義のあるチャンスを利用したのだった〉

ポーランドでは、式典後、ヘルツォーク演説を支持する声が世論の多数派を占めたという。

ヘルツォーク演説は、中公新書の拙著で詳述した。石田勇治の『過去の克服』には拙著も参考文献としてあげられており、石田があの演説とその歴史的な意義を知らなかったわけではない。だが、この演説を石田勇治は著書で完全に無視した。

ゴールドハーゲン大論争にほとんど触れていない

一九九六年夏、ドイツ国内では、ある英語が原書のドイツ語翻訳書が注目を集めていた。何よりもそのタイトルが刺激的で、ドイツ人の多くは挑発だと受けとめた。『ヒトラーの自発的死刑執行人たち　ふつうのドイツ人とホロコースト』

わずか一カ月のうちに八万部も売れた。細かい活字のつまった分厚い硬派の本としてはきわめて異例の反響だった。本を買って読む前から、だれもが自分の意見を述べるという光景も見られた。いわゆるナチスだけでなくふつうのドイツ人も、ヒトラーの意に沿って自発的にユダヤ人の迫害や虐殺に加わったとするものだった。

著者は、当時まだ三十六歳という気鋭のハーバード大助教授で、ユダヤ系アメリカ人のダニエル・ジョナー・ゴールドハーゲンだった。父親エルンストは、ナチスの迫害を逃れてアメリカへ亡命し、やはりハーバード大学の教授となったという、親子二代のナチズム研究者だ。

原著はこの年の三月、アメリカ国内で出版されベストセラーとなっていた。英語版を入手すると、次のような記述があった。ちなみに、二〇〇七年には邦訳も出た（『普通のドイツ人とホロコースト——ヒトラーの自発的死刑執行人たち』ミネルヴァ書房）（引用は拙訳）。

〈なぜホロコースト（ユダヤ人大虐殺）が起こったのか、なぜ起こりえたのかをこの本で説明する。……ふつうのドイツ人が虐殺者となった行動と精神を理解することがテーマである〉

ゴールドハーゲンは、序論にこう書き、つぎのように宣言した。

〈「ナチス」とか「親衛隊（ＳＳ）隊員ら」という、便利だがしばしば不適切で混乱させるレッテルを避け、「ドイツ人たち」と呼ぶことである。

ホロコーストをやったドイツ人たちのための最もふさわしい、そして唯一の適切で一般的な名前は「ドイツ人たち」である。彼らは、ドイツと非常に人気のあった指導者アドルフ・ヒトラーの名において行動したドイツ人たちだった。ナチ党の党籍やイデオロギー上の信服によって「ナチス」だった者たちもいたし、そうでない者もいた〉

ナチスとふつうのドイツ人を分け、ヒトラーとナチスを〈悪いドイツ人〉のスケープゴートとして罪責を押しつけてきたドイツ人社会の欺瞞に対する、ユダヤ人学者からの痛烈な一撃だった。

ゴールドハーゲンは、この文章への脚注でこう補足している。

〈ユダヤ人犠牲者は、ドイツ人加害者はナチスではなく圧倒的にドイツ人たちだったと理解している。「ドイツ人たち（Germans）という言葉をつかうときには、すべてのドイツ人がふくまれることを意味しない（ちょうど「アメリカ人たち（Americans）」がアメリカ人すべてのことを示さないように）。ユダヤ人迫害やナチスに抵抗したドイツ人もいたからだ〉

ドイツでは、すでにドイツ語版の発売前から、ヒステリックな反発が見られた。ベルリン自由大学のヴィッパーマン教授は、筆者にこうふり返った。

「あの本へのドイツの反響は、とても国家主義的で反ユダヤ主義的でした。いつもこう言われたんです——彼はユダヤ人で、父親はホロコーストの生きのこりだ。ゴールドハーゲンの意図は報復にある、と」

ゴールドハーゲンは、不特定多数のドイツ人について論考しようとしてはいるが、「すべてのドイツ人」を対象としたのではない。しかし、ドイツ国内では、「集団としての罪」が問われているかのように騒がれた。

この「集団としての罪」は戦後ドイツのキーワードのひとつであり、説明は後述する。

ゴールドハーゲンは、ホロコーストの加害者について、〈大衆にも学者にもたくさんの神話と思いちがいが生じた〉とも書く。

ユダヤ人はガス室で虐殺されたと一般に信じられているが、それだけではなく、占領地で集団射殺された犠牲者もたくさんいたとする。

そして、彼は、ナチ・エリートとしての親衛隊（SS）だけでなく、軍役に適さないとされた者たちさえ駆りあつめた警察大隊（ポリツァイバタリオン）もユダヤ人を虐殺したと指摘した。

彼によれば、警察大隊は非ナチ的な組織であり、「ふつうのドイツ人」を集めたものだった。

また、いくつもの実例をあげ〈隊員らは、だれでも殺害の実行を簡単に逃れられた〉とした。

つまり、ふつうのドイツ人のあいだにも反ユダヤ主義は根強く、命令に絶対服従させられたのではなく、自発的にヒトラーのための死刑執行人になったというのだ。

ドイツの占領地から本国へ連行され、強制労働をさせられたユダヤ人もたくさんいた。ゴールドハーゲンは、その目的は一般的に言われている〈経済的な搾取〉などだけでなく、〈ユダヤ人は怠け者だから働かせなければならない〉とするドイツ人一般の偏見にもあると主張する。偏見はヒトラーより数百年も前からあったとし、宗教改革者マルティン・ルター（一四八三〜一五四六年）のユダヤ人憎悪のこんな記述を紹介する。

〈彼らは、われわれを祖国に閉じ込め、彼らの金と財産のためにこき使う。その彼らは、炉端に座ってなまけ、むだ口をたたき、飲み食いし、われわれの富で静かにいい暮らしをする。われわれをあざけり、つばを吐きかけるのだ〉

これは、ホロコースト研究の名著とされるユダヤ系アメリカ人歴史家ラウル・ヒルバーグの大著『ヨーロッパ・ユダヤ人の絶滅　上下』（邦訳は柏書房。一九九七年刊）から彼が引用したものだった。

ゴールドハーゲンは〈ユダヤ人を働かせなければならないというイデオロギー的、心理的衝動があまりにも強く、ドイツ人は、しばしば、ただ働かせるためにユダヤ人を労働へと追いやった〉とする。

ここでは警察大隊など非ナチス＝ふつうのドイツ人による武装組織だけでなく、ユダヤ人を強制的に働かせた産業界をはじめとする民間のドイツ人も批判の対象とされている。

ドイツ語版発売の翌九月、ゴールドハーゲンが訪独し、各地でパネル・ディスカッションに出席すると、反発的な空気は一変した。メディアや市民の関心は非常に高く、「ゴールドハーゲン論争」という言葉がしばしば使われた。ベルリン会場では、のちに筆者の取材に応じたヴィッパーマン教授もパネリストになり、ゴールドハーゲンの歴史学としての方法論の欠陥をきびしく突いたという。

しかし、南ドイツ新聞（一九九九年九月九日付）は、こう伝えた。

〈学術的な手法かどうかは疑問が残る。だが、加害者やその動機への容赦ないもの言いが、とくに第三世代の心をゆさぶった。再統一されたドイツは、ホロコーストの影と罪の問題を乗り越えられると考えていた者たちは、いま、実際にはその反対だと知った〉

ホロコーストには、ナチスだけでなくふつうのドイツ人も手を貸していたという事実が、若い世代を中心に受け入れられたのだ。ゴールドハーゲンのドイツ訪問を、ある新聞は「勝利の行進」と呼んだ。大戦末期、ユダヤ人たちが強制収容所から別の場所へ歩かされ多くが死んだ「死の行進」をもじったものらしい。

フェッチャー元教授は、ゴールドハーゲンの著作について筆者にこんな評価を語った。

「人を殺害する場面のディティールなどで彼は実際にはなかったことを書いています。センセーショナルで一種ののぞき趣味ではないでしょうか。しかし、たとえば警察大隊の隊員などふつうのドイツ人は、虐殺を強制されたわけではなく自発的にやりました。ですから、彼の議論はきっと正しいでしょう」

ゴールドハーゲンには「一九九七年度デモクラシー賞」が贈られることになり、一九九七年三月十日、ボンで授与式が行われた。午後の記者会見には約百五十人もの報道陣が集まり、夜の授賞セレモニーには、二千人以上が出席した。連邦議会副議長、社民党の幹部、緑の党の党院内総務で外相のヨシュカ・フィッシャーなどもいた。

ゴールドハーゲンの著作では、「ふつうのドイツ人」の罪が問われた。戦後ドイツにとって「過去の克服」の最大の対象はホロコーストだった。その点、ふつうのドイツ人も自発的にヒトラーのための死刑執行人になった、という事実の指摘は衝撃だった。ドイツ国民は、過去の何を克服してきたのか、という根本的な疑問が生じた。そして、ドイツ人はおおむねその指摘を認めたのだった。図表1の〈善いドイツ人〉と〈悪いドイツ人〉の二分法が崩壊したわけだ。

石田勇治の『過去の克服』は、このゴールドハーゲン大論争について、そういう論争があったということにひとこと触れているだけで、その中味について、詳しい分析は何らなされていない。

ドイツでの「国防軍の犯罪」展の大論争にほとんど触れていない

一九九七年二月二十五日、ドイツのなかでも保守的なバイエルン州の州都ミュンヘンで大騒動がもちあがる。

第二次世界大戦の終結から満五十年を機に、左派系の民間シンクタンク、ハンブルク社会研究所が企画した「絶滅戦争・国防軍の犯罪　１９４１－１９４４」という巡回展がミュンヘンに回ってきた。ヒトラー時代の軍隊による戦争犯罪の一部を示すものだ。一九九五年三月にまずハンブルクではじまり、ベルリン、ウィーンなどドイツとオーストリアの計十五都市をまわった。各開催地ではそれなりに話題を呼んだが、大きな注目を集めるほどではなかった。

騒動に火をつけたのは、保守政党・キリスト教社会同盟（ＣＳＵ）のミュンヘン支部長、ペーター・ガウヴァイラーだった。この党は、バイエルン州を基盤とするローカル政党で、それ以外の地域をカバーする全国政党・キリスト教民主同盟（ＣＤＵ）とは姉妹党の関係にある。ガウヴァイラー支部長は、「国防軍の犯罪」展が旧軍と元軍人らの名誉を傷つけるものだと猛反発し、党支部として反対キャンペーンをはじめた。極右のドイツ国家民主党（ＮＰＤ）はそれに便乗し、勢力を誇示するために大デモ行進を計画した。筆者は当時、ベルリンに駐在していたが、これは戦後ドイツにとって最大級の問題だと確信しミュンヘンへ飛んだ。

デモ当日、筆者は屈強な黒服のＮＰＤメンバーにまじって歩きながら取材した。メンバーらは「われわれは祖父たちを誇りに思っている」とのプラカードをかかげ、「栄光ある国防軍の名誉を汚すな」と叫んだ。

展示に拒絶反応を示したのは、キリスト教社会同盟（CSU）や極右だけではなかった。いくつかの退役軍人会は、一般公開の朝、地元紙に「展示はいわれなき主張であり、戦争世代を差別するものだ」との意見広告を載せ、ボイコットを呼びかけた。展示会場がある市庁舎に隣接するマリーエン広場で筆者が取材していると、ある市民は「国防軍に名誉を！」と叫び、べつの者は「戦争犯罪をやったのはおれたちだけじゃない」と言った。

この反発は、ドイツ社会で戦後半世紀ものあいだ、ナチ組織とは一応別だった正規軍・旧国防軍の名誉が保たれていたことを意味している。ドイツ軍人は、戦場で、民間人の虐殺や強姦、捕虜の虐待など戦争犯罪を何ひとつ犯さなかったとでも言うのだろうか。

犯罪展を企画したハンブルク社会研究所のベルント・グライナー研究員（一九五二年生まれ）は、極右デモの前日、展示会場で筆者にこう話した。

「一九四五年以降、戦地から社会に帰った人たちは、それぞれの人生のために戦争犯罪の過去を切りすてました。そして、ナチスの親衛隊（SS）や特別行動隊（アインザッツグルッペ）といったスケープゴートを選び出したんです。こうした組織には、犯罪を否定するすべはなかったんですから」

ドイツの戦後社会では、戦線や後方での犯罪が国防軍と切り離され、ナチ組織のせいにされていた。ナチスとそれ以外のドイツ軍人という二種類のドイツ兵がいたかのように理解されてきたのだ（図表1参照）。

戦後世代は、一般に「戦争犯罪はナチスのやったこと。とくに親衛隊が残虐だった」と他人《ひと》事《ごと》のように考えていた。ヒトラー時代のドイツ人のうち邪悪だったとみなされてきたのは、ほんのひと握りだったことになる。しかし、元国防軍兵士らも戦争犯罪にかかわっていたらしいとなれば、戦後世代は父や祖父の顔を思いうかべる。「国防軍の犯罪」展が社会に衝撃を与えたのは当然だった。戦後、半世紀も経って、いわばドイツ人が戦後抱いてきた戦争観、歴史認識が、根底からくつがえされた。

清算されていない過去の暗部が吹き出したのだ。

ワルシャワを訪れた際、筆者はポーランド高級紙ジェチュポスポリタ（共和国の意）の本社ビルを訪問し、元国際部長でいまは論説委員をしているカタジナ・Z・コウォジェイチク女史（一九三二年生まれ）にインタビューした。七歳のとき、ナチス・ドイツによるポーランド知識人の計画的集団虐殺、いわゆる「AB作戦」によって父を殺されたという。ブロンドの美しい知的な感じの人で、流暢な英語を話した。

「国防軍の犯罪展をめぐる騒動を見るとどうでしょう。戦後半世紀も、ドイツという国がその歴史に背を向けていたという事実が理解できません。家庭の団らんで、ドイツ人は何を話していたんでしょうか？　子どもたちに何を教えていたんでしょうか？　彼らは国家としての回想をしないのでしょうか？　国家として真実を知るための教育をしないのでしょうか？」

石田勇治は、ドイツで大騒動となったこの巡回展示について、『過去の克服』にこう書いている。

〈一九九五年には（オーストリアの若手歴史家）マノシェック自身が研究員をつとめるハンブルク社会研究所が「国防軍の犯罪」展を開始し、ドイツ軍将兵の戦争犯罪の実態を白日のもとにさらした。五年間でドイツ、オーストリアの三三都市を巡回し、八六万人が入場したこの異色の写真展の主題のひとつが、一九四一年四月に始まるセルビア攻略戦でドイツ軍に編入されたオーストリア出身将兵が引き起こしたユダヤ系住民の大虐殺であった。こうしてオーストリアも、自らのナチ時代を見つめ直すことになった〉

大冊のなかで「国防軍の犯罪」展について触れたくだりはこれだけだ。それも、隣国オーストリアのケースを短く紹介しただけでお茶を濁している。ドイツでこの展示を機に戦争観、歴史認識が根底からくつがえされた事情を深く考察すれば、著作のテーマである「過去の克服」にとって極めて不都合なため、あえて無視したのだろうか。

強制売春＝慰安婦問題に触れていない

ドイツのメディアは日本の慰安婦問題を批判的に報道してきたが、自国の慰安婦＝強制売春の過去には沈黙している。この問題を出せば国の恥になるからだ。長年「誤報」を放置した朝日新聞をはじめとするわが国の左派メディアとは根本的にちがい、ドイツのジャーナリストは祖国の名誉や誇りを重んじる傾向が強い。

石田勇治『過去の克服』は、ドイツでの強制売春、国防軍による強姦黙認に触れない。そして、ドイツがそれをタブーとしてきた重大な事実を一切無視している。

ここに挙げた独日ステレオタイプの発信者六人は、なぜ、複眼的ないし立体的ではなく、単眼的な思考に陥ったのか。ドイツを無批判に称える人物らには、知識人として事実を確認したうえで発言しようという姿勢は感じられない。その潜在意識に、明治維新以来の西洋コンプレックスがあるのかもしれない。そして、自分には戦争責任などないという保身の歪んだ自己愛があるのかもしれない。本書【第六章　日本発の「反日病」が韓国、ドイツに感染】で、心理学などの知見から分析する。

「重大なデータ隠し」がなぜ追及されないのか？

もし石田勇治の『過去の克服』が自然科学分野の論文なら、「重大なデータ隠し」として執筆者の研究者生命が断たれるのではないか。なぜ、こんな極端に偏向した著作を上梓し、また、それがわが国で一定の読者を得ているのだろうか。

そのヒントは、石田自身がプロローグで明確に述べている。

〈戦後ドイツの「過去の克服」は、この国の国際的信用の回復と地位の向上に大いに貢献し、ドイツ人に自信を回復させたといえるだろう。この点、ドイツの同盟国として世界戦争を遂行し、同じ敗戦国となりながら、過去の侵略戦争と不法の「負の遺産」をいまだに清算できず、そのことが東アジア諸国との関係において相変わらず「躓《つまず》きの石」となっている日本の場合とは対照的である〉

つまり、この書の陰の執筆動機は「だめな日本を批判する」ことにあるらしい。これはわが国の左派メディアや進歩的文化人に共通する言動であり、〈反日日本人〉を生む土壌となってきた。

まず真理を求める学究の徒の姿は、石田には認められない。歴史研究は日進月歩しており、先の日本の戦いを「侵略戦争」のひと言で片付けるのは、すでに時代錯誤と言える。石田には、日本の戦争についての新しい知見が決定的に欠如しているように思える。東アジアの政治情勢にもうといか、あえて無視を決め込んでいるようだ。

学者の著作としてこの書を読めば、なぜかたくなに重大事象隠しをするのか不可解だ。だが、たとえば、中国共産党の御用学者のように、特定の政治イデオロギーを広めるためのプロパガンダ書を書いたとすれば、よく理解できる。東京裁判史観のイデオローグとみられる。

『過去の克服』の【あとがき】には、ヴァイツゼッカー演説についてこんなくだりがある。

〈最近では「トリックの完成」という評価まで出てきた。私はこの議論に先の（大統領演説）礼賛論以上に強い違和感を覚えている〉

これは拙著の中公新書を指しているようだ。しかし、学者が論拠をあげてその説はまちがっていると論破するならともかく、「違和感」などという情緒的な言葉でしか批判できないのか。ただ、演説をむやみに絶賛する他の左派知識人と一線を画している点だけは、わずかだが評価できる。

拙著『〈戦争責任〉とは何か』は、ドイツ近現代史を専門としないたくさんの研究者からは賛辞をもらった。論文や著作に引用されたケースもいろいろあると聞いた。すでに絶版となったが、電子書籍版はいまでも少しずつコンスタントに売れている。

わが国のドイツ近現代史研究者らはムラを形成しており、そろって無視を決めたのか、中公新書への何の反論も届かなかった。石田はそのボス的な存在らしい。そのムラには、「ドイツは過去の清算も克服もできていない」という真実にはアプローチできない掟があるようだ。もし、そういう説を取れば、ムラの大地をひっくり返すことになり、ムラビトではいられなくなるからだろう。

そして、二〇一九年九月十三日、ＢＳ－ＴＢＳの「報道１９３０」に出演した石田勇治は、こう語った。

〈ヘルツォークが一九九四年、ワルシャワに行って「あなたがたのすべての苦しみに許しを乞います」と演説した。「許しを乞います」という表現は、本来は神に対してしかできない。それをあなたがた（ポーランド人）に対して言うのは、非常に深い意味がある。それ以来、ドイツで定型的に使われている〉

〈統一後のドイツは、ナチと非ナチスを分ける議論はしていない。国民がナチに加担したんだということを（認めている）。いまのドイツはちがう〉

これは、自著『過去の克服』で、①ヘルツォーク大統領が画期的な演説をしていた②戦後ドイツがナチと非ナチを分ける議論をしてきた――という重大な二つの事象にふれなかったことへの事実上の訂正であり、また、悔悟とも受け取れる。

大沼保昭――「独日ステレオタイプ」には陥っていないが……

『「歴史認識」とは何か　対立の構図を超えて』（中公新書）が、二〇一五年に刊行された。東大名誉教授の大沼保昭（一九四六～二〇一八年）にジャーナリスト江川紹子がインタビューした記録で、【東京裁判】【戦争責任と戦後責任】など五つの章から成る。【第5章　二十一世紀世界と「歴史認識」】に〈ドイツの取り組みはなぜ評価されるのか〉という項目がある。

〈江川　同じ敗戦国でも、ドイツの戦争に対する向き合い方は、国際社会に評価されているよ

うにみえます。どういう点が評価されているのでしょうか〉

〈大沼　ドイツがこれまで謝罪してきたのは、主にホロコーストについてです。ドイツの侵略戦争それ自体に対するドイツの反省は、それほど明確ではありません。その点では日本とさほど違いがあるわけではない〉

このやりとりを読むと、江川は〈ドイツの戦争に対する向き合い方〉という言い方をしており、誤った先入観でドイツをみている。ドイツは戦後、「戦争の過去」をほとんど忘れた。それに対し大沼は、戦後ドイツが〈侵略戦争ではなく、主にホロコーストについて謝罪してきた〉という趣旨で答え、ほぼ正確な認識をもっていることがうかがえる（【図表2　日独での戦争や戦争犯罪についてのイメージのちがい】参照）。

大沼は、慰安婦問題に言及したうえで〈一概に法的責任を認めるほうが道義的責任を認めるよりまさっているわけではない〉と、独日両国をその点で比較しても意味はないことを述べる。これも、冷静な判断だと言える。

大沼は〈にもかかわらず、たしかにドイツは日本より戦争責任について国際社会で高い評価を受けている。なぜか。ひとつには、ドイツは国家の指導者がわかりやすい形で自己の反省と謝罪を表明してきたことがあります〉とし、こうつづける。

〈ヴィリー・ブラント西独首相が一九七〇年にポーランドのワルシャワを訪問した際、ゲットー

〈ユダヤ人隔離施設〉でのユダヤ人武装蜂起を記念する英雄記念碑の前で跪《ひざまず》いて黙禱《もくとう》を捧げた。このときブラントが跪いて真摯に黙禱を捧げる姿は、写真を通じて世界中に報じられました。その効果は非常に大きかったと思います〉

大沼がこう語ったように、ひざまずきは戦後ドイツを語るうえで核心のひとつではある。

あれは何だったのか。詳細は、【第三章　侵略への許しを乞う「ひざまずき」ではなかった】に記す。

ドイツの取り組みはなぜ評価されるのかという質問に、大沼保昭は端的に答えている。

〈ブラントの跪きといい、ヴァイツゼッカーの演説といい、ドイツは自己の反省を示す象徴的な行為を国際社会に印象づけることができたのです〉

その通りであり、指導者らのパフォーマンスによって国際社会に印象づけたのがすべてだ。ドイツの現実はそのパーセプションとはかけ離れているが、国際社会も日本の左派知識人も印象操作されたと言える。

大沼保昭は、慰安婦や憲法の問題などについては評価の分かれる学者だった。とは言え、独日ステレオタイプにはほとんど陥っていない。遺作となった著書『「歴史認識」とは何か』は中公新書であり、同じ版元の拙著を読んだのかもしれない。また、国際法学者であり、わが国のドイツ近現代史研究者ムラのムラビトではないという事情もあったのだろう。

第三章 侵略への許しを乞う「ひざまずき」ではなかった

「永遠の贖罪」像の背後にあるブラントの贖罪意識

韓国北東部・平昌《ピャンチャン》にある民間の「韓国自生植物園」に、慰安婦を象徴する少女像の前で男性が土下座して謝罪する像が設置されている。「永遠の贖罪」と名づけられた。二〇二〇年七月、その男性は安倍晋三首相だとされて物議をかもし、日韓関係を一段と悪化させた。聯合通信によると、その像は「制作者がブラントのひざまずき（跪き）に触発され制作したもの」という。

韓国メディアも、一九七〇年のブラント（元西独首相）のひざまずきの写真を、日本批判にくり返し使ってきた。

だが、あのひざまずきの真意を、多面的に詳しく調べた例はドイツでもみつからなかった。

筆者は、ユダヤ人、ポーランド人、ドイツ人や史・資料に当たり、その解明に挑んだ。

一九六〇年代まで、ドイツは周辺国から「ナチスの過去を忘れている」と批判されがちだった。たった一シーンの写真が、その国家イメージをすっかり変えるほどのインパクトを与えた。

ベルリンで私設の「反戦博物館」を主宰する学校教師シュプレーは筆者に言った。

「あのひざまずきは、ポーランドの破壊とポーランド人、ユダヤ人を殺したことに対してのものでした。私が知っているかぎり、記念碑はユダヤ人だけでなく大戦で殺されたすべての人びとのためにつくられたものです」

デュッセルドルフにあるポーランド研究所所長カジミェシュ・ヴォイチツキの言葉も、ほぼ同じだった。ポーランド出身の所長は、そのころは祖国にいて二十歳の大学生だった。

「ひざまずきによって、ポーランド侵略をふくむドイツの戦争責任を明確に認めたものとポーランド人には評価されました」

ワルシャワ蜂起とゲットー蜂起があった

一九三九年九月、ドイツはポーランドを侵略し支配下においた。知識人など計画的に殺された人だけで数千人にのぼり、二百四十六万人がドイツ本国へ連行されて強制労働につかされ、多くは劣悪な条件のために死亡した。

それよりさらに過酷な目にあったのが、ポーランドのユダヤ系市民だった。ゲットーに閉じ込められ強制労働をさせられた。役に立たない者は、アウシュヴィッツやその他の絶滅収容所へ送られガス室などで虐殺された。

一九四三年春、ゲットーのユダヤ人約五万七千人は絶望のなかで蜂起した。だが、ドイツ占領軍部隊によって徹底的に弾圧され、ゲットーは完全に破壊された。これは「ゲットー蜂起」と呼ばれる。

その翌年、ワルシャワの非ユダヤ系ポーランド人市民も、国内にひそむポーランド軍部隊と呼応して蜂起した。だが、二カ月あまりでドイツに鎮圧され、市民に約二十万人もの死者を出し全市が破壊された。これはのちに「ワルシャワ蜂起」と呼ばれた。

巧みに相殺された過去

ひざまずきの真意をさぐるため、筆者はワルシャワへ行った。事前にドイツ政府から入手した当時のブラント公式日程記録にそって動いてみた。

一九七〇年十二月六日午後、ワルシャワ入りして一泊したブラントは、七日朝、サスキ公園わきにある「無名戦士の墓」に献花した。

この墓は第二次大戦後に作られ、いまも衛兵が永遠の火を守っている。火を中央にして建つ霊廟の柱にはめられたプレートをみると、第二次大戦だけではなくさまざまな戦役での戦没者の霊がまつられている。

ブラントは、さらに約一・五キロ北西のゲットー跡広場を訪れて、記念碑に献花した。ワルシャワ市立図書館の資料によると、記念碑はゲットー蜂起の英雄たちを顕彰するため、ポーランド・ユダヤ人中央評議会によって建てられ、蜂起五周年にあたる一九四八年四月十九日に除幕された。非ユダヤ系のポーランド人犠牲者は対象とされていない。

「記念碑は、ユダヤ人だけでなく大戦で殺されたポーランドのすべての人びとのためにつくられた」というシュプレーの理解は正確ではなかった。

ブラントはゲットー記念碑前で突然ひざまずいて祈りをささげた。予定にはまったくない行動で、随行員さえ驚いたという。

幅二十メートルほどの台座にすえられた記念碑前に立つと、高さ幅ともに八メートルあまりと大きい。ゆったりとした広場は、十階建て前後の中層アパート群に囲まれている。

ブラントが戦争の罪責を無言で謝ろうとしたのなら、むしろ無名戦士の墓でひざまずくべきだったのではないか。それが現場を歩いてみての感想だった。

議会演説は日程になく、ブラントはその七日の晩餐会スピーチでポーランド首相に語りかけた。

〈きょうは、わが国民と私自身にとって、あなたの国民に与えられた大きな苦難、そしてまた、わが国民が味わわなければならなかった重い犠牲について、痛ましい記憶を思い起こさせる日

です。……一九三九年以降の数年間は、比べるもののない最も暗い期間でした。それを消し去ることはできません〉

ドイツ政府に残るスピーチ公式記録によると、第二次大戦期についてのくだりはこれだけだ。「わが国民が味わわなければならなかった重い犠牲」という言葉が注目される。単にポーランドが戦災にあったというだけではなく、ポーランド人によるドイツ人への非道な行為も暗に指しているわけだ。

ソ連の独裁者スターリンは、占領したポーランド東部の領土を戦後も手放そうとはしなかった。その代わり、ポーランドに対し西部で埋め合わせをしてやるため、ドイツとの新国境をオーデル・ナイセ線とすることを主張した。これにより、ドイツは領十のおよそ四分の一を失うことになり、対象地域にいたドイツ人住民は強制的に移住させられた。西側連合国もこれを容認した。

ドイツ政府のデータによると、この新ポーランド領をふくめ、終戦時にソ連・東欧地域にいたドイツ人一千百七十三万人がいまのドイツ領内へ追放された。その際、ヒトラー時代の報復としてリンチや強姦が行われ、衰弱死、病死をあわせドイツ人約二白十万人が死亡または行方不明となった。

これは、第二次大戦の終戦後、武装解除され投降した日本軍捕虜ら約五十七万五千人が、ソ連によって主にシベリアなどへ労働力として移送隔離されたシベリア抑留《よくりゅう》を連想させる。抑留生活は長期にわたり、厳寒の環境下で満足な食事や休養も与えられず、奴隷的強制労働をさせられたことにより、約五万八千人が死亡したとされる。

ブラントの晩餐会スピーチでは、謝罪どころかドイツ人側の犠牲を持ち出し、侵略の罪の相殺を試みたようにさえ思える。

ブラントの手記で分かる「ひざまずき」の真意

では、なぜ、ひざまずいたのだろうか。一九九三年にブラント生誕八十周年を記念して行われた展示「ヴィリー・ブラント　ある政治人生　1913-1992」のカタログに、本人の手記が引用されていた。

〈ワルシャワへ向かうとき、六百万人の犠牲者への思いが心にのしかかっていた。……ワルシャワ・ゲットーでの死の戦いへの思いが心にあった。ゲットー蜂起は、数カ月後にポーランドの首都で起きた英雄的な蜂起にくらべ、ヒトラーと戦う各国政府からはほとんど気にとめられなかった。私は、何も計画してはいなかった。だが、ゲットー記念碑への特別な思いを表現しなければならないとの気持ちを胸に、宿舎のヴィラヌフ宮殿をあとにした。ドイツ史の奈落の淵で、殺された数百万の人びとの重圧を受け、私は言葉でいい表せないときに人がすることをお

こなったのだった〉

ブラントのいう〈ポーランドの首都で起きた英雄的な蜂起〉は、明らかにワルシャワ蜂起のことだ。それに比べ、世界の注目を集めることのなかったゲットー蜂起に思いをはせ、ブラントはひざまずいたのだった。

カタログに出典は記されていないが、調べると「ヴィリー・ブラント回想録」（第三版、一九九三年刊）におなじ記述があった。回想録の文中には「二十年のちに」というくだりがあり、晩年の一九九〇年ごろ書かれたものらしい。

念のため、ドイツ連邦新聞情報庁の資料部にたのんで、ブラントの演説・発言ファイルを端からチェックしてもらった。すでに、一九七一年三月二十一日、ケルンで行われた「友愛週間」の開会式で、似た表現によりひざまずきの真意について語っていた。

〈十二月はじめワルシャワに立ったとき、私にはドイツ現代史の重荷がのしかかっていました。犯罪的な人種政策の重荷です。……アウシュヴィッツにもかかわらず、狂信や人権抑圧は終わっていないと考えました。……（ひざまずきに）否定的なコメントをする人もいましたが、それなら私は問います。ドイツ首相にとって、ワルシャワ・ゲットーがあったところ以外のどこで、責任の重荷を感じ、その責任に由来する罪のつぐないを試みられるというのでしょうか！〉

ワルシャワ蜂起で立ち上がったポーランド人市民ではなく、ユダヤ人への思いを胸にひざまずいたのは明らかだった。ゲットー蜂起やホロコーストの犠牲者へのつぐないだった。

前出のフランクフルト大学フェッチャー元教授は、ゲットー跡と記念碑を見るため、学者仲間とワルシャワへ行ったことがあると筆者に語った。

「あのひざまずきは、ポーランド人に対するものとみなされましたが、ユダヤ系市民に向けたものでした」

そして、元教授は、ブラントの誠意を認めながらもこう断言した。

「ポーランド侵略への許しを請うものだった、とみなすことはできないと思います」

ポーランド人の困惑

では、当のユダヤ人社会はどう考えたのだろうか。ドイツ国内で発行されている「ユダヤ人一般週刊新聞」(AJW)の編集長ユディト・ハルトは言った。

「ポーランド人ではなく、ユダヤ人犠牲者に向けられたものでした。もちろん、ポーランド市民権をもっていたユダヤ人もいましたが、ポーランドでは反ユダヤ主義がはびこっており、彼らのほとんどは自分が社会の一員だとは考えていなかったんです」

ポーランド人のポーランド大学のヴォイチェホフスキ元教授は「ユダヤ人は、もちろん、ポーランドという国の一員です」と言ったが、その言葉とはへだたりがある。

ひざまずきの解釈について、ハルト編集長らユダヤ人は「ユダヤ人に向けられた」とし、ポーランド人は「ユダヤ系市民をふくむポーランド人にむけられた」とする。そのずれの原因は何だろうか。

ブラント展のカタログには引用されていないが、回想録でブラントはこうつづけている。〈私は、ポーランド側を困惑させたようだ。あの（ひざまずきの）日、ポーランド政府のだれも、それについて私に話しかけなかった。したがって、彼らも歴史のこの部分をまだ清算してはいないのだ、と私は判断した〉

まだ清算していない〈歴史のこの部分〉というのは、おそらくポーランドの反ユダヤ主義のことを指している。一九三〇年代、ユダヤ人商店のボイコット、ユダヤ人からの借金帳消しなどナチス・ドイツと変わらない迫害が行われた。ポーランド政府は、国内にいる三百万人近いユダヤ人を、すべてマダガスカル島などへ送り込もうとしたこともある。ヒトラー政権は、ユダヤ人絶滅政策に踏み切るまえ、ヨーロッパの全ユダヤ人一千百万人以上をマダガスカル島へ強制移住させる計画を立てて失敗した。それは、ポーランドの案をまねたものとされる。

一九九一年にボンで発行された雑誌『政治情報　ドイツ人とポーランド人』にもこうある。
〈ユダヤ人蜂起は、計画、実行とも孤立していた。西側の連合国、ポーランド亡命政府、ポーランド反ナチス抵抗派も、共産主義者の反ナチス抵抗派もまったく支援しなかった〉

戦後の一時期も、ポーランドの共産主義政権によって反ユダヤ政策がとられた。つまり、対ユダヤ人に関しては、ポーランドの政府も国民もどちらかといえば加害者の立場にあった。ゲットー記念碑前でのひざまずきが〈ポーランド側を困惑させたようだ〉とブラントが記したのはそのためだったと思われる。

ブラントの回想録はつづく。

〈私に同行してワルシャワへ行ったカルロ・シュミートがのちに語ったところによると、なぜ私は無名戦士の墓では献花しただけでひざまずかなかったのか、とある（ポーランド側の）人物から聞かれたという〉

ポーランド人はドイツの被害者だったとの立場からすれば、〈なぜ、ユダヤ人ゲットー跡で？〉との疑問や不満は、ある意味で当然だった。ドイツ首相がポーランド人に謝るなら、無名戦士の墓でもひざまずくべきだった。

ブラントは、さらにこうつづっている。

〈翌朝、空港へむかう車のなかで、ツィランケヴィッチ（ポーランド首相。ナチス強制収容所に政治犯として入れられながら生き抜いた）が私の腕をとって言った。「たくさんの人びとがとても感動しました。妻はあの日夕、ウィーンの女友だちに電話してふたりともすごく泣きました」

ポーランド首相夫人らは、自分たちの反ユダヤ主義を悔いて泣いたわけではないだろう。ドイツがポーランドに謝罪したと自分たちなりに解釈したのだ。

ホロコースト想起の時代

あのとき、なぜ、ブラントの脳裏をユダヤ人の悲劇への思いが占めていたのだろうか。時代をふりかえってみる。

ルール大学のノルベルト・フライ教授（一九五五年生まれ）の著作『過去政策　西ドイツ建国とナチスの過去』（一九九六年刊）によると、〈一九六〇年代の半ばまで、ナチスの過去はドイツ社会で抑圧され、正面から論議されることはなかった〉という。

前出のヴィッパーマン教授も筆者に言った。

「ドイツにはこういうスローガンがありました。『私たちは何も知らなかった』。もちろん、彼らはたくさんのことを知っていました。すべてとはいいませんが、アウシュヴィッツやそこのガス室で起きたことを知っていました。六〇年代後半から七〇年代にかけて、状況が変わりました。それまではタブーで、人びとはナチス時代について話すのを拒絶していました」

一九六四年から六九年にかけ、フランクフルトで、いわゆる「アウシュヴィッツ裁判」が行われた。ニュルンベルク以来の軍事裁判で、国民に過去を振り返らせるきっかけとなった。

被告はオットー・フンシェといい、約四十四万人のユダヤ人をアウシュヴィッツ絶滅収容所へ移送した際の中心人物だった。この裁判は、必ずしも西ドイツが自発的にはじめたものではない。ユダヤ人国家イスラエルは、一九六〇年、アルゼンチンに身をひそめていた重要なナチ戦犯アドルフ・アイヒマンを逮捕し、本国へ連れかえって裁判にかけた。イスラエル情報機関モサドの華々しい活躍だった。アイヒマンは、一九六二年、死刑となり、その片腕だったのがフンシェだった。ドイツで一度は「非ナチ化裁判」により軽い刑をすませていたが、重罪がふたたび問われた。

このころ、ユダヤ人国際コミュニティーで、ナチス・ドイツのユダヤ人大虐殺を「ホロコースト」と呼ぶようになり、ドイツにも伝わった。本来は、獣を丸焼きし神に生け贄として捧げる古代ユダヤ教の儀式「燔祭《はんさい》」を示す言葉だった。

一九六五年、ナチスの重大殺人罪の時効がせまり、周辺国からの圧力の高まりもあって、西ドイツ連邦議会は一九六九年まで延長した（その後、時効は廃止される。対象は〈人道に対する罪〉（C）であり、国防軍などによる〈通例の戦争犯罪〉（B）は、はじめから議論されなかった。【第四章世界を欺いた「ドイツはナチの被害者」】参照）。

一九六八年には西側各国で学生運動が燃え上がり、ドイツではヒトラー時代に生きた親の世代の責任とくにホロコーストへの関与を追及する声が高まった。

ワルシャワのゲットーについても、しばしばテレビで取り上げられた。この前後、ユーレク・

ベッカーの感動的な小説『嘘つきヤコブ』（邦訳『ほらふきヤーコプ』同学社。一九五五年刊）がベストセラーになる。ヤコブはワルシャワ・ゲットーに住むユダヤ人で、仲間に希望をもたせようと「新聞で読んだが、もうすぐソ連軍がおれたちを解放しにやってくる」と嘘をつく話だった。

一九六九年九月一日は、第二次大戦勃発から満三十周年にあたった。第三代大統領グスタフ・ハイネマン（一八九九〜一九七六年）は、この日、テレビ・ラジオを通じて記念演説をおこなった。

ハイネマンは、戦後、キリスト教民主同盟（ＣＤＵ）が結成されるとほぼ同時に入党し、一九四七年には初代連邦内相となった。だが、一九五〇年、再軍備の動きに反対して抗議辞任した。一九五七年には社民党に入党し、連邦議員、法相をへて第三代大統領となった。ヴァイツゼッカー第六代大統領が脚光をあびるまでは「最もリベラルな首脳」とされていたという。

ハイネマン演説では、こう述べた。

〈第二次大戦の起源を指摘する必要はありません。それは明らかです。二十年間、ヒトラーはユダヤ人問題の解決とスラヴ諸国のドイツ統治をねらっていることを明言し、書き記し扇動していました〉

〈大戦では世界の五千五百万人以上が命を失ったことを忘れてはなりません。それ以上の数の人びとが故郷を追われ、移住を強いられました。一千七百万のドイツ人もそうした運命を味わわされました〉

〈ポーランドは一九三九年の最初の攻撃の犠牲となりました。六百万の死者のうち兵士は七十万だけで、五百万人以上が専横な絶滅作戦の犠牲者でした。……（ポーランドとドイツのあいだの）古い溝はだれも掘りかえしたりできないよう、しっかり埋めてしまわなければなりません〉

それ以前の大統領や首相の演説に比べると、たしかにリベラルな姿勢が感じられる。だが、侵略の罪は明らかとしながらその責任はヒトラー個人のものとし、追放されたドイツ人の悲劇にもしっかりふれている。ポーランドへの謝罪の言葉もない。西ドイツ政府の過去に対する基本的な枠組みをしっかり踏襲した演説だった。

当時の報道ぶりをいろいろ調べても、社会一般で侵略や戦争犯罪についての議論は見つからなかった。一九六〇年代後半から一九七〇年にかけ、ドイツ人は、過去のうちホロコーストだけを、外部からの圧力によって想起させられていたと思われる。

そのただなか、ブラントはワルシャワへ飛んだのだった。

適切か、やり過ぎか

ブラントの本名は、カール・ヘルベルト・フラームといった。熱烈な反ナチス派で、ヒトラーが政権をとった一九三三年にノルウェーへ亡命し、名前も変えた。一九四〇年、スウェーデンへ移った。ジャーナリストとして反ナチス抵抗運動を支持しつづけた。戦後、西ドイツに帰国し、ニュルンベルク裁判の取材をした。社民党内の反共産主義のリーダーとなり、西ベルリン市長、外相を経て首相となった。

シェルゲン教授は筆者にこう解説してくれた。

「彼は亡命者であり、抵抗運動にかかわっていました。一九五〇年代から一九六〇年代にかけ、その特殊な経歴のため、彼は（ドイツの右派から）非常に強く攻撃されました。反面、彼は侵略者のひとりとしてではなく抵抗運動者のひとりとしてワルシャワへ行きました。彼はそれ（ひざまずき）ができる立場の人だったんです」

いたずらにドイツ政界保守層の反発をまねくような言動は、ワルシャワでも許されなかった。無言の祈りと晩餐会での過去の罪を相殺するようなスピーチが限界だっただろう。

それでさえドイツでは批判を浴びた。ベルリン自由大学のクラウス・ツェルナク教授（一九三一年生まれ）は、研究室で筆者にこう述懐した。

「ドイツ人の中には、栄誉あることではない、あんなものの前でひざまずくべきではない、と彼を責めた者もいました」

ツェルナク教授は、ドイツとポーランドの和解の例として国際的に評価されている「教科書勧告」を作成した共同委員会のドイツ側委員長でもあった。

週刊誌シュピーゲルは、ブラントのワルシャワ訪問のあと世論調査を行っている。ひざまずきについては四一%が「適切」、四八%が「やり過ぎ」と答えたという。

ひざまずきの一枚の写真が世界中に流れ、ドイツは過去を反省している、という印象を国際社会に強烈に与えた。それが独日ステレオタイプの淵源となったものの、ブラントにとっては予想もしないものだっただろう。また、現代の韓国などが日本批判の材料として持ち出したりするのは、本人にとって不本意ではなかろうか。

第四章　世界を欺いた「ドイツはナチの被害者」

極右・ネオナチの全国ネットワーク

ドイツの戦後史を虚心坦懐にみれば、無意識のうちに自己と国際社会に対する欺瞞＝トリックが形成され、それが次々と崩れていった七十余年だった。歴代の指導者たちは、そのつど、事態を糊塗《こと》するために何とか帳尻合わせをしてきたものの、「過去の克服」という言葉は空虚だった。

ユダヤ人を迫害したナチスの過去は克服などされていない。その現実を改めて裏づける衝撃データがある。ドイツ国内のユダヤ人のおよそ二人にひとりが国外移住を考えたことがあるというのだ。つまり、ドイツ脱出だ。

ハイコ・マース外相は、二〇二〇年一月二十六日発売の週刊誌シュピーゲルで、現実社会でもネット上でも反ユダヤ主義的な言動や攻撃が〈日常茶飯事〉と化しているとし、こう警鐘を鳴らした。

〈そのような（国外移住の）考えが苦い現実となり、ユダヤ人がドイツから大量脱出することなどないよう、早急に対策を取らなければならない〉

ドイツ内務省所属の国内治安機関である連邦憲法擁護庁（ＢｆＶ）は、二〇二〇年六月、ドイツには約二万四千百人の極右がいて、そのうち約一万二千七百人は暴力も辞さない危険分子だと発表した。

最も危険とされるのは、現在のドイツ連邦共和国を認めず、かつての「ドイツ帝国」の臣民として生きる者たちだ。当局が把握しているそのメンバーは約一万九千人で、うち九百五十人が極右とされる。彼らはドイツ連邦共和国の基本法（憲法）を認めず、かつてのドイツ帝国を信奉する。武装したうえ代理政府を樹立し、宰相や将軍を名乗るメンバーもいる。王立銀行を作り、帝国のパスポートまで持っている。彼らの言動は「帝国臣民」運動と呼ばれる。

その存在が発覚したのは二〇一六年で、武器を押収するためアジトに接近した警察特殊部隊と銃撃戦になり、警察官四人が死傷した。

日本で、大日本帝国臣民を名乗る武装集団が存在するなどまったくありえない。

大規模な陰謀

ドイツ陸軍の精鋭組織とされる特殊部隊「ＫＳＫ」に、極右思想やナチズムを信奉し武装反乱するつもりの隊員が多数いる疑いがあるとして、二〇二〇年七月、ＫＳＫに所属するある中隊の解体が決まった。クランプカレンバウアー国防相はそれを自ら決断したという。ＫＳＫから大量の武器弾薬が行方不明となっていることも明らかにした。

ＫＳＫの隊員数は約一千四百人で、対テロ作戦や人質事件の解決などが主要任務とされる。一九九〇年代、米英軍の特殊作戦軍などを参考に創設され、陸軍の特殊部隊を束ねる統合軍ともなっている。

この数年、極右・ネオナチはさまざまなテロを行ってきた。特に、二〇一九年からは、政治家の暗殺、ユダヤ教礼拝所シナゴーグ襲撃、移民の射殺などをくり返してきた。だが、捜査当局は、過激思想の浸透は「個別ケース」とし、軍の倉庫から武器弾薬の一部が紛失しても本格的な捜査はしてこなかった。

二〇二〇年五月、軍の内部告発により捜査に着手した当局は、「子羊」のニックネームを持ちネオナチの疑いがあるＫＳＫ上級曹長を逮捕した。その自宅の庭からは、二㌔のＰＥＴＮプラスチック爆弾と起爆装置、ＡＫ47型自動小銃、二本のナイフ、クロスボウ、数千発の銃弾などが掘り出された。それらのほとんどは、軍から盗んだものとみられた。さらに、ナチ親衛隊の軍歌集、ナチ武装親衛隊の雑誌など多数のナチス遺品も押収された。

また、「ハンニバル」というニックネームを持つ元KSK隊員は、グループチャットでテロ攻撃について同志と話し合っていたのが突き止められた。攻撃の対象としてはギャング、イスラム教徒、そして極左のアンティファを想定していたという。同志らは過去数年のあいだに武器弾薬をため込み、攻撃を準備していた事実もわかった。数人のメンバーは拘束されて尋問を受け、うち一人はすでに刑事訴追された。

KSK内部で極右思想が初めてみられたのは、二〇一四年四月、「豚の頭パーティー」とのちに呼ばれる儀式だったこともわかっている。部隊司令官の送別会で兵士たちは豚の頭を投げ、法で禁じられるヒトラー式の敬礼をした。

ドイツ当局者らは、「現役および退役した軍人や警察官などからなる極右・ネオナチのネットワークは全国規模だ」とし、これまで取り調べを受けた六百人よりはるかに多くの兵士が過激思想に感化されているとみている。大規模テロまたは武装反乱、最悪の場合クーデターが決行されるとし、その日を「Xデー」と呼んで警戒している。

連邦憲法擁護庁は、極右の過激思想とテロが「いまやドイツの民主主義にとって最大の脅威」とする。

難民流入による政治の右傾化

二〇一五年に百万人以上の難民がドイツに流入して以来、とりわけ旧東ドイツ地域で、外国人排斥の機運が高まった。それに乗って、極右的な面をもつ新興右翼政党・ドイツのための選択肢（ＡｆＤ）が台頭した。ＡｆＤはファシスト政党だとの見方もある。

ＡｆＤは二〇一三年に創設され、二〇一七年の総選挙で前回のゼロ議席から九十を超える議席を獲得し、連邦議会の第三党となった。その後、社民党を抜いて第二党になった。シュタインマイヤー大統領は、ＡｆＤ党首と会談し、他の党に対してＡｆＤの周囲にある「不和の壁」を取り除き、「ドイツの愛国心」のために努力するよう融和策を促した。ドイツの政治家が愛国心という言葉を使うのは、日本と同様に異例だ。その数カ月後、メルケル首相の与党であるキリスト教民主・社会同盟とドイツ社民党は新たに大連立政権を組み、ＡｆＤは議会の公式な野党となった。

以来、ＡｆＤは大連立政権の移民・難民政策に強い影響力を持つようになり、議会の複数の委員会でも委員長ポストを占める。

キリスト教民主同盟をはじめ既成政党も、存在感を増すＡｆＤに州レベルでは連携するケースもある。発覚した極右・ネオナチの陰謀の背景として、そうしたドイツ政界の急速な右傾化を指摘する声もある。

一方、ベルリン旧東地区にあるフンボルト大学のイェルク・バベロフスキ教授（東ヨーロッパ史〉は、シュピーゲル誌にこう語った。
〈ヒトラーはサイコパスでもなく、悪意もなかった。彼は、机上で（ユダヤ人の）絶滅政策について話すことも望まなかった〉

バベロフスキは、戦後ドイツでよく知られる親ナチス歴史家エルンスト・ノルテ（一九二三〜二〇一六年）の支持者であることを公言する。ノルテは、ドイツで一九八〇年代に行われた戦争責任をめぐる「歴史家論争」の火付け役だった。「ナチズムは、ソ連の共産主義に対抗するための避けがたいイデオロギーだった」などとし、左派リベラルやユダヤ人団体から強い批判を受けた。だが、バベロフスキの極端な極右的立場からの歴史見直しについて、学界や政界からはひと言も批判の声が聞かれなかったという。

それどころか、独メディアによると、バベロフスキや彼の同調者らは、フンボルト大学当局から「教授に対するメディアでの攻撃は受け入れがたい」と擁護され支持された。こうした動きは国境を超え、米プリンストン大学はバベロフスキが行った独裁についての研究に対して三十万ドルの賞金を授与した。

むろん、ドイツ世論が全体として目立って右傾化しているわけではない。しかし、「極右・ネオナチが力を得たのは、現代ドイツの支配階級《エスタブリッシュメント》や国家機構との地下での強力なコネクションがあるからだ」とされる。

メディアは、ヒトラーを生んだワイマール共和国時代に民主主義体制を転覆させることを狙った暗殺やクーデター計画などがあったことを想起しながら、今回発覚した陰謀のネットワーク組織を「影の軍隊」と呼ぶ。反乱、暴動、クーデターを意味する「Ｐｕｔｓｃｈ（プッチュ）」という言葉を使って、その決行日「Xデー」に注目する。

たとえばわが国で、尖閣諸島魚釣島を守る海上自衛隊「特別警備隊（ＳＢＵ）」や陸上自衛隊の離島奪還部隊「水陸機動団」に戦前の軍国主義を信奉する隊員らがいて、逮捕されたり組織の解体を余儀なくされたりする事態など考えられない。KSKを主な舞台とする大がかりな極右・ネオナチの陰謀事件は、ドイツが過去の克服などできていないことの証のひとつとなる。

現在、ドイツには、ＡｆＤは別として、構成員五千人以上を抱えるドイツ国家民主党（ＮＰＤ）をはじめ大小の極右・ネオナチ組織があり、その勢力は潜在的構成員をふくめると計約三万人とされる。

あるドイツ人ジャーナリストによると、「ドイツのサッカーファンの約一割が極右陣営と結びついている」との見方もある（フランツィスカ・フンツエーダー著『ネオナチと極右運動　ドイツからの報告』三一書房。一九九五年）。それが事実なら、数百万人の極右周辺勢力がいることになる。

日本には極右政治勢力は皆無

ちなみに日本では、自衛隊はもとより、軍国主義の復活を唱えるような極右政治勢力は皆無だ。二〇二〇年八月十五日の終戦記念日に、旧日本軍の陸軍服と海軍服を着た右翼団体会員らが靖國神社を参拝した。その数は、わずか三十人ほどだった。小銃と旭日旗などを持ち、「天皇陛下、万歳、万歳、万歳」と叫び、『君が代』を斉唱した後、教育勅語を暗唱した。

日本最大の右翼団体である日本青年社は、一九八九年の総選挙に候補者を出し、二万弱の票を取った。任侠系で反共・民族主義・脱原発の組織とされるものの、選挙では、戦後体制との決別、自主憲法の制定、貿易摩擦の解消という穏健な三本の柱を訴えていた。

在日特権を許さない市民の会(在特会)は、二〇一五年末時点で、約一万六千人弱の会員をかかえ一千五百~二千人の動員力をもつとされる。暴力事件を起こしたことはあるが、死者を出すテロ事件などは起こしていない。

桜井誠・在特会会長は、二〇二〇年七月の東京都知事選で約十七万九千票を獲得、前回より約六万四千票を積み増した。自民党が自主投票としたため、受け皿がなくなり自民支持層の一部が桜井に流れたとの見方も出た。「反日朝鮮人をたたき殺せ」などと街頭で叫ぶヘイトスピーチをくり返し、その一部は裁判所から「違憲」とされた。

ヘイトスピーチの団体は、韓国の「反日」に対し直接的な対抗策がとれないため、「日韓の国交断交」を訴えるほか、矛先を手近な在日コリアンに向けスケープゴートとしているようにみえる。

また、韓国での反日がエスカレートするにつれ、わが国でもネット右翼（ネトウヨ）が増え、その数は二百万～四百万人と推定されている。だが、それは左派からみた「右翼」の数で、世界基準で言えば大半は中道ではないか。しかも、ネトウヨの活動はほぼネットの世界に限られたものであり、ドイツの極右・ネオナチなどとは比較するまでもない。

日本の左派のメディアや識者および中韓は、日本の「軍国主義の復活」「右傾化」などを警告する。だが、〝世論の重心〟はドイツに比べればまだまだずっと左にある。

ただし、ベクトルは左から右に向かっている。それは、戦後、メディアや知識人などの左傾化が極端だったことへの反動であり、行き過ぎさえしなければ必ずしも悪いことばかりではないだろう

ナチスの定義が問題だ

ドイツは、一体、何をしてきたのだろうか。第二次世界大戦で敗れたドイツは、戦勝国によるニュルンベルク裁判において戦争責任が問われ、主要戦犯は処刑された。

だが、まもなくドイツは「負けて降伏したのはヒトラーのナチ政権とその軍であり、戦後の政権はその継承者ではない」という論理を打ち立てた。それに基づき、議会制民主主義、軍隊の保持、師弟の教育をドイツ人が行うことなどを占領諸国に宣言し、基本法（憲法）を自分たちの手で制定した。

日本の場合、ポツダム宣言を受け入れ「日本軍」が降伏したはずなのに、占領・統治したマッカーサー司令官の占領軍ＧＨＱは「日本」が無条件降伏したとした。占領国の法律を作ることは国際法違反にもかかわらず、ＧＨＱは憲法も起草した。まず、この点がドイツと決定的にちがう。

第二章で、「国防軍の犯罪」展をめぐる騒動について述べた。それは、各都市を引きつづき巡回した。ドレスデン、カッセル、ミュンスターなどでも極右による反対デモが相次いだ。対抗デモも行われ、そのつど緊張が高まった。

巡回展主催者によれば、ドイツ人は、戦後、ナチスをスケープゴートにしてきたという。それなら、まず、ナチスとはなにかを確かめなければならない。

ニュルンベルクで、歴史家のグラーザー博士に聞いてみた。

「ある者たちをナチスと呼ぶとき、どういう意味で使うわけですか？」

「ナチズム（国家社会主義）の考え方に属している者、あるいはナチ組織のメンバーということです」

「ナチズムは保守的な国家主義と進歩的な社会主義をくっつけたもので、ナチス独特のやり方です」と博士は言った。その中核には、ドイツ民族をふくむ優秀な「北方アーリア人種」が、劣等民族であるユダヤ人やスラヴ人を支配する運命にある——というヒトラーの人種理論があった。

ナチ組織というのは親衛隊（ＳＳ）やその一翼、秘密国家警察（ゲシュタポ）などのことだ。そして、博士は言った。

「だれかをナチというとき、ナチ党員だったかどうかは問題ではありません」

予想した答えではあったが、ここで話はややこしくなる。親衛隊などナチ組織のメンバーだった者は、ナチ（単数）、ナチス（複数）とされる。しかし、ナチ党の一般党員だったからといって、必ずしもナチとはいえないという。小説や映画『シンドラーのリスト』の実在モデルだったオスカー・シンドラーは、ビジネスの恩恵を受けるためナチ党員になったとされ、思想的にナチとは言い切れず、多くのユダヤ人の命を救った。

逆に、党員以外でもナチズムを信奉する者たち、つまり一般国民のナチスはたくさんいたという。問題は党籍ではなくその人物の思想信条だというのだ。

中国にはいま、九千百九十一万人もの共産党員がいるそうだが、そのすべてが共産主義に染まっているわけではない。立身出世や経済的利益を得るために党員になった者も多い。逆に、党員ではないが共産主義を信奉している者もいるだろう。それと同じだ。

グラーザー博士は、親衛隊などナチ組織にいた者はナチだったとした。しかし、さらにややこしいことに、敗戦後、元ナチ組織員でありながら思想的に自分はナチではなかったと主張するケースさえあった。

一般に、ナチスという言葉はある特定のグループを指すと思われている。だが、現実には「自分はナチじゃなかった」といい逃れができるあいまいさがある。戦後のドイツは「ナチスの過去」を清算してきた。ではだれがナチだったのかと突きつめるようとすると、「私はナチじゃなかった」という人も少なくない。そこにトリックのキーが隠されている。

だから、ドイツで大論争を引き起こしたユダヤ人歴史学者ゴールドハーゲンは、「ナチス」という定義のあいまいな言葉ではなく「ドイツ人」と呼んだ（【第二章「東京裁判史観」に毒された反日日本人の妄言　石田勇治の項】参照）。

国防軍の名誉回復はトリック

ヒトラー時代のドイツ軍というとき、広い意味では、国防軍だけでなくナチ親衛隊（ＳＳ）などもふくまれる。しかし、ドイツではふつう、国防軍とナチの諸組織は分けて考えられている。したがって、本書でも、「ドイツ軍」と「ドイツ国防軍」とを言葉のうえではっきり使い分けることにする（次頁の図表３　ドイツ軍の指揮系統）。

しかし戦後、旧国防軍の軍人はナチ党員でもナチ組織員でもなかったことを楯に、ナチではなかったと装い、親衛隊員などをナチスだとしてスケープゴートにすることができた。

「国防軍の犯罪」展のカタログ序文は、こう書き出されている。

〈一九四五年、ナチス・ドイツが敗北するとすぐに、元の将軍たちは伝説づくりをはじめた。「クリーンな国防軍」という伝説である〉

ホロコーストなどの残虐行為はナチスの部隊がやったもので、国防軍はそうした犯罪に手をそめなかったとする「クリーン伝説」があったという。「神話」と言いかえても同じだろう。

序文は、そうした主張が「今日まで世論を決定づけている」として、こうアピールする。

〈五十年ののち、この嘘と決別し、大犯罪の真実を受け入れるべきときがきた〉

十九世紀末以来、戦争にはルールが決められている。戦時国際法と呼ばれるものがそれで、現代でも戦争そのものは必ずしも違法ではない。武器をもった戦闘員どうしが敵味方で殺しあうことも合法だ。だが、非戦闘員である民間人を殺したり、武器をすてて投降した敵の兵士を殺したり残虐にあつかったりすることは禁じられている。特に、独ソ戦争では戦闘員ではない

図表3　ドイツ軍の指揮系統

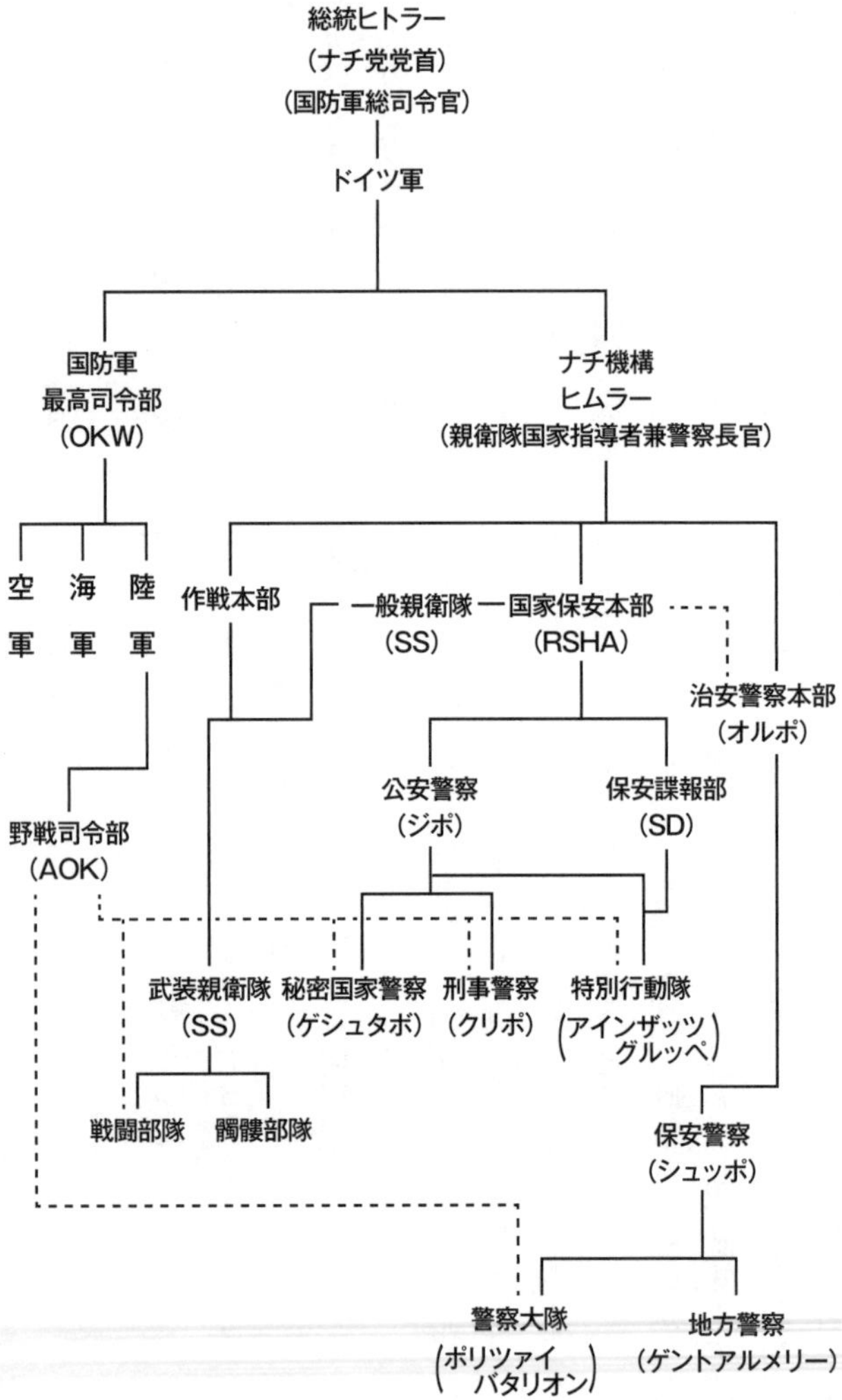

ユダヤ人やスラヴ人の市民が虐殺された。カタログ序文は、そうした戦争犯罪、人道犯罪が国防軍によって犯されながら隠されてきたことを告発している。

独ソ戦争について、「国防軍の犯罪」展の会場でスタッフのグライナー研究員は筆者にこう言った。

「あれは、たんなる侵略戦争ではありませんでした。戦線のどこかで戦争犯罪が起こるといった伝統的な戦争観では理解できません。ソ連の広大な地域の住民を根こそぎにし、その後でドイツ人を入植することが想定されていました。ああいうタイプの絶滅戦争を計画、実行することと自体がはじめから戦争犯罪だったわけです」

では、いつ国防軍のクリーン神話が生み出されたのだろうか。グライナー研究員はこうヒントをくれた。「コンラート・アデナウアーが、退役軍人たちをまとめあげるため、あえて彼らの戦争犯罪の過去から目をそらさせるようにしたんです」

それこそ、クリーン神話づくりのはずだった。西ドイツ初代首相コンラート・アデナウアー（一八七六〜一九六七年）が、一九五二年十二月三日、連邦議会で決定的な演説を行っていた。演説のねらいは、元軍人の名誉を公式に回復させ、ふたたび軍を編成することにあった。

職業軍人だったフランクフルトのフェッチャー元教授は言った。

「国防軍の犯罪は無視され、すべてはナチ親衛隊のせいだとされました」

米ソ冷戦が本格化し、アメリカは西ドイツに正規軍を復活させることを決めた。一度はどん底に突き落とされたドイツの元軍人たちの名誉も、冷戦のおかげで復活した。再軍備のためにアデナウアーが仕掛けたのは、冷戦を利用したトリックだった。

大騒ぎの震源地はヴァイツゼッカー

さて、「国防軍の犯罪」展が賛否で大炎上したのは誰のせいだったか。ドイツの週刊誌「FOCUS(フォークス)」の一九九五年十一月二十七日号で、犯罪展について元大統領ヴァイツゼッカーはこう語っている。

〈十把《じっぱ》ひとからげにして、国防軍を賞賛したり犯罪者集団だと烙印をおしたりするいい方には、耐えられません〉

ヴァイツゼッカーはキリスト教民主同盟(CDU)の大立て者だった。その姉妹党であるキリスト教社会同盟(CSU)のミュンヘン支部は展示反対キャンペーンに乗り出し、極右がそれに便乗した。「国防軍の犯罪」展をめぐる大騒ぎの隠れた震源地は、ヴァイツゼッカーの発言だった。

展示企画の責任者ハネス・ヘーァ研究所長が書いたカタログ序文には、確かに「国防軍が犯罪に積極的に全組織をあげて加担していた」との表現がある。だが、同時にこうも書かれている。

「この展示は、元兵士の世代を十把ひとからげにして、遅まきながらの判決を下そうとするものではない」

ヴァイツゼッカーは、回想録で、軍の汚点について〈われわれがあの展示によって初めて知ることではない〉と書いている。それでも、彼は、ドイツ政界における戦中世代の代表でありながら、あるいはその故に、かつて兵士の犯罪の事実やその責任に関し明言したことはなかった。彼は国防軍のクリーン神話を温存する側にいた。軍の当事者であり、また、東西冷戦があったからだったのだろう。

ドイツのメディアを徹底チェックしたが、ヴァイツゼッカーの〈十把ひとからげ〉発言を正面から伝えた例はなかった。ドイツ人も国際社会も、大騒ぎの震源地が、まさかあの元大統領だったとは知らされなかった。

社内のリベラル局長に没にされた企画

「国防軍の犯罪」展がミュンヘンで大騒動を呼ぶことになるのは必至だというドイツ紙の記事が載ったころ、筆者はベルリンに駐在していた。

ドイツは「過去に目を閉ざさず」戦後処理を立派にやっていたはずなのに、戦後半世紀を過ぎて旧軍の犯罪が大問題となるとは？　わが国でいまさら旧日本軍が戦争犯罪をしていたかどうかで、そんな騒ぎになるはずはない。ドイツの戦後処理、過去の清算とはなんだったのか――。

その観点からも、巡回展示は戦後ドイツの根幹にかかわる問題だと思い、デモとその周辺の人びとを取材すべく空路ミュンヘンへ飛んだ。ドイツには約十人の日本人特派員が駐在していたが、この大ニュースに反応したのは筆者だけだった。独日ステレオタイプの先入観から、事態の重大さを理解できなかったのだろう。

展示主催団体の研究員や左右両派のデモ、関係者を細かく取材し、「ドイツは過去を克服したとされているが実はごまかしがあった」という原稿を東京本社に送った。

しかし、本社では自分たちが知っている戦後ドイツ観とは正反対の内容なので、その意味がすぐには理解できず原稿は保留にされた。独日ステレオタイプは、読売新聞社内にも蔓延《まんえん》していたわけだ。後日、ローマ特派員から東京にもどりデスクをしている仲の良い同期記者に事情を話すと、その原稿の重大な意味をすぐに理解し国際面に掲載してくれた。日本にはまったく伝わっていないドイツの暗部だった。わが国のドイツ研究者のなかには衝撃を持ってその記事を読んだ人たちもいた、と後で聞いた。

まもなく筆者はベルリンでの任期を終え、東京にもどった。二十世紀を振り返る企画取材班の専従となり、まず「戦争と革命の世紀」を書くことになった。筆者は「ドイツは過去を克服していない」という企画書を作った。取材班の会議で、それを一面に掲載予定の長期連載の頭にぶつける線で固まった。だが、取材班リーダーの編集局次長がその企画書を編集局長に持って行くと、即座に蹴られたという。局長も独日ステレオタイプに感化された隠れ進歩的文化人だったのだろう。

それでも筆者は、手を変え品を変え記事を連載や特集に書き、ステレオタイプの払拭《ふっしょく》を試みた。その仕事を最後に退社しフリーとなって、ドイツの史・資料や報道記事を探し、参考文献を徹底的にチェックした。その上で、ドイツおよび戦争被害国のポーランドとチェコを現地取材し、多くの歴史家やジャーナリストなどにインタビューし、中公新書として上梓した。

筆者は、アジア諸国の社会・教育開発を目的とするアメリカの事業財団であるアジア財団主催で開かれた東京での国際シンポジウムにパネリストとして招かれ、内外の知識人に自説を披露した。会場に数人いたドイツ人歴史家らは、筆者の指摘が予想外で戸惑った様子だった。丸の内の日本外国特派員協会にも招かれ、立ち見も出る会見場で、日独のちがいと脱ステレオタイプを力説した。

冷戦プロパガンダ映画に洗脳された敗戦国民

戦後ドイツでは、はっきりと区別された二種類の国民がいるかのような雰囲気があった。邪悪だった元ナチスと善良だった元国防軍将兵および一般国民だ（図表1参照）。

エアランゲン大学のシェルゲン教授は、端正な顔をちょっとゆるめてこんな話をした。

「非常に面白い情報源は、一九五〇年代以降のアメリカの戦争映画ですよ。あれを観れば、いつも、ナチス親衛隊員のような〈悪いドイツ人〉と、ロンメル将軍のような〈善いドイツ人〉が出てきます。そして、はるかに多数派なのが〈善いドイツ人〉なんです」

ハリウッド映画について、教授はつづけた。

「それは一種のプロパガンダとでも呼べるんでしょう。多くのドイツ人が、あんなにも簡単に、自分たちを〈善いドイツ人〉のグループに属していると思いこんでしまった理由を、わたしはこういう映画の例から理解できます」

米ソ冷戦期に、アメリカが西ドイツを西側に引き入れるためのプロパガンダ映画だったというのだ。正規軍「国防軍」の将兵は〈善いドイツ人〉だという先入観が創出された。

ニュルンベルク市のゾネンベルガー博物館局長は、こちらから映画を話題にするまえに自分の体験を語り出した。

「学生時代、一年半ほどアメリカのアトランタに留学していました。テレビを観ていると、第二次大戦をあつかった映画をしょっちゅう放映しているわけです。国防軍のドイツ兵はたいていフェアな戦士で、ナチスの親衛隊とか秘密国家警察（ゲシュタポ）などとはちがって描かれていました。おなじドイツ軍の制服を着ていても、悪いやつらと善い者たちがいた。それはわれわれドイツ人の見方ですが、どうじに他の諸国の見方でもあるんでしょう」

筆者が調べると、「戦略大作戦」(Kelly's Heroes　一九七〇年、クリント・イーストウッド主演)など日本で上映された作品もたくさんある。西ドイツでも同様のプロパガンダ映画が制作されたという。

ちなみに、欧米のスクリーンで、旧日本軍はどう描かれたのだろうか。ベルリン自由大学のヴィッパーマン教授は語った。

「映画では、確かに〈善いドイツ人〉が区別されています。それはまったくの先入観によるものです。一方で、特に一九七〇年代、八〇年代に太平洋戦争を描いた映画、例えば『戦場にかける橋』などでは、すべての日本人は悪人として描かれています」

ドイツ人の多くは、自分たちの心に心理トリックを仕掛け、ナチスとしての過去を忘れたという。それを可能にした一因を、ヒトラー支持率の推移から推しはかれる。

ヴァイマール共和国中期の一九二八年、総選挙で、ナチ党の得票率は二・六％にすぎなかった。一九三二年十一月の総選挙では三三・一％を取って第一党となり、ヒトラー政権誕生へつながった。翌一九三三年三月の政権獲得後初の総選挙では、「ヒトラー人気」が高まり四三・九％に増えた。

この年の十月、ドイツは国際連盟を脱退し、翌月、国民投票と国会選挙が行われた。九三%が脱退を支持し、ナチ党の得票率は九五%に達した。

戦後、暴力支配のもとで人びとはナチ党への投票を強制された、という言説が広められた。しかし、ドイツ人の歴史家らによると、ほとんどは自発的に一票を入れた。

ヒトラー時代に生きた先述のエーリッヒ・フロムは『自由からの逃走』で、こう書いている。〈ヒットラーが権力を握ってからは、さらにもう一つの誘引が力をえて、大多数のものがナチ政府に対して忠誠を捧げるにいたった。幾百万のひとびとにとって、ヒットラーの政府は「ドイツ」と同一のものとなった〉

ドイツ人は、戦後、ヒトラーに熱狂していたころの記憶を消し去ったのだろう。

「善いドイツ人」だらけになるための「DEトリック」

【第二章】で触れたヘルツォーク演説は、ポーランド国民に感動を与えた。だが、注目すべきはドイツ国内の反応だった。あの演説はドイツ国内では必ずしも歓迎されなかった。終戦時にポーランドなどから追放された人びとがつくる同郷人会は、とくに納得しなかったとされる。これらは右派陣営に属し、演説について口を閉ざした。

最も注目されるのは、ドイツの保守系メディアの反応だった。代表格であるフランクフルター・アルゲマイネ紙は、ヘルツォーク演説について一行も報道しなかった。念のため、同紙の記事データベースを二回チェックしたが、該当する記事はなかった。「ナチスの罪」ではなく「ドイツ人の罪」を謝ったことが受け入れられなかったのだろう。

日本から天皇か総理が戦争被害国に行き謝罪をした際、まったく報道しない日本のメディアがあるだろうか。

フランクフルター・アルゲマイネ紙は、自己の非を容易には認めないドイツの国民性を如実に示したのだった。

ともあれ、ドイツでは、戦後すぐに、占領諸国によって、ナチとナチでなかった者を公式に区別する手つづきが行われた。ナチとされた者は公職から追放され、非ナチとされた者を社会に復帰させて国の再建にあたることになった。

ナチではないと認められた者には「非ナチ証明書」が発行された。ドイツの歴史家たちは、それを「ペルジール証明書」と呼ぶ。ペルジールというのは有名な洗剤の名前だった。「潔白」の象徴というより、ヒトラー時代の汚点をすっかり洗い落としてすましていた連中への皮肉だという。

ニュルンベルクのゾネンベルガー博物館局長は言った。

「ペルジール証明書のせいで、より罪の重い犯罪人たちが法律の網の目をくぐりぬけてしまったんです。外国へ逃げ出した者もいました」

ナチズムに心酔していたはずのドイツ人は、戦後、われもわれもと〈善いドイツ人〉になりすましていった。そこで濫用されたのは、「非ナチ化」政策だった。もともと米占領当局がはじめたが、ドイツ人自身の手に渡されると「ナチズムで汚された過去」を洗い流す手段に変わってしまった。

一九五二年に軍人たちの名誉を公式に回復させたアデナウアーは、その前年の九月二十七日、やはり連邦議会でこんな政府声明を発表していた。

〈ドイツ国民は、ユダヤ人にたいする犯罪を大多数が嫌悪し、その犯罪にも関与していませんでした。……しかし、ドイツ国民の名において、言葉にいい表せないほどの犯罪が行われました〉

これこそ、ナチスに罪を着せ、ふつうのドイツ人をクリーンにする呪文の言葉だったのではないだろうか。〈ドイツ国民の名において〉ナチスが残虐行為を働いたとの論法だった。だが、見方を変えれば、ユダヤ系アメリカ人の歴史学者ゴールドハーゲンも指摘したように、ドイツ人が〈ヒトラーやナチスの名において〉非道を行ったともいえる。

非ナチ化を英語ではDenazification、ドイツ語ではEntnazifizierungという。そのふたつの言葉の頭文字をとり、社会が〈善いドイツ人〉だらけになっていったカラクリを、便宜上「DE

トリック」と呼ぶことにする。ドイツは東西に分断され、国民は冷戦の悲劇を味わった。冷戦は一方で、こんなトリックも許した。二〇世紀史最大の皮肉のひとつだろう。

ニュルンベルク裁判にみる「ABCトリック」

第二次大戦をヨーロッパで引き起こし敗れたのはドイツであり、アジア・太平洋で引き起こし敗れたのは日本だった。先述のように、ふたつの敗戦国に対し、連合国はニュルンベルクと東京でそれぞれ国際軍事裁判を開き、指導者らを裁いた。

その裁判への見方は、戦争責任をめぐる立場そのものを反映している。

両裁判では共通して三つの罪（訴因）が設定され、それは、以後、国際法のスタンダードとなった。

〈平和に対する罪〉（A）侵略戦争の計画、遂行など
〈通例の戦争犯罪〉（B）捕虜の虐待や民間人の殺害など
〈人道に対する罪〉（C）ホロコースト（ユダヤ人などの虐殺）、他

（第二章の「図表2」参照）

ヨーロッパ三か国で取材したすべての人に、この三つのカテゴリーを明記した憲章（英語）

のコピーを示し、「あなたたちが問題としているのはどれか」と聞いた。

ニュルンベルク裁判が行われた裁判所はいまもそのまま使われている。そこを訪れベーア
シュミット判事に質問した。

「三つのうちAがもっとも重要でした。でも、これは議論するまでもないので、議論されませんでした」

ニュルンベルクのグラーザー博士はこう言った。

「〈平和に対する罪〉(A)はみな認めています。それは私や私の家族ではなく政府であり指導者たちのやったことだ、と人びとはいつも言うわけです」

エアランゲンのシェルゲン教授は、別の角度から表現した。

「平和に対する罪つまり侵略戦争はどこでも起こったことであり、誰でも知っていることだから、いまさら話す必要などないとみんな考えました」

ドイツでは〈通例の戦争犯罪〉(B)についての情報がほとんどえられず、取材が難航した。やっとのことで上級士官学校の元教官で軍事史家のディーター・ハルトヴィヒ博士(一九四三年生まれ)が詳しいと聞き、ベルリンからバルト海にのぞむ軍港の街キールへはるばるレンタカーを飛ばした。

「戦争犯罪が講義でとりあげられるようになったのは、一九八〇年代の半ば以降です。かつて

の教科書は、おもに勇敢な兵士や軍事的成功について書かれていました。失敗は敵があまりにも巨大だったから起きた。すべては人道的に行われた。そういう歴史記述でした」

ハルトヴィヒ博士によると、一九九五年以降の「国防軍の犯罪」展まで、Bは歴史家サークルの外に伝わることはなかった。

ニュルンベルク市博物館局長のゾネンベルガーはこう述べた。

「Bは古代史のはじまり以来あります。しかしユダヤ人だから、人種や宗教がちがっているからといって人を殺すというCなど、まったく前代未聞でした。それは文明国家であるはずのドイツで、本当ならありえないことでした。だから私たちにとってこれは戦争犯罪よりもはるかに罪や恥を抱かなければならない大きな問題なんです」

「（しかし）Cは基本的に戦争とは関係ありません。東方を征服しユダヤ人を捕まえて殺したという意味では、間接的な関係がありますが。しかし、開戦より数年まえ、すでにユダヤ人迫害ははじまっていました。だから区別しなければなりません」

シェルゲン教授も、明確に言った。

「ホロコーストは、もちろん戦争犯罪ではありません。文明社会でそれまで聞かれたことのない、何かまったく別のものです」

ベルリン郊外にある「ヴァンゼー会議記念館」のヴォルフ・カイザー学芸員は、こう指摘した。

「ユダヤ人などの殺害は戦争犯罪と呼ばれました。本来は戦争犯罪ではないのですが、一九五〇年代から六〇年代にかけて意識的に混同され、公式の表現でも戦争犯罪として扱われたんです」

取材した相手からは一様に、「議論はCに集中している」との答えが返ってきた。西尾幹二が『異なる悲劇　日本とドイツ』で指摘したことは正しかったわけだ。

ブラントが、ゲットー記念碑に献花しただけであのようなパフォーマンスをしなかったら人びとの記憶にものこらず、「ドイツの真摯な姿勢」が国際社会で評価されることもなかっただろう。しかし、ここにはもっと深い別の意味もある。歴史家たちのいうように、ドイツ国民の多くは長いあいだニュルンベルク裁判で問われた罪を忘れていた。一九六〇年代、ユダヤ人国際コミュニティーや周辺国からの圧力もあって、ホロコースト（C）には目をむけはじめたものの、侵略の罪（A）や戦場での犯罪（B）は議論されず、研究の対象にさえほとんどならなかった。

それでも、あのひざまずき以降、ホロコーストをめぐって謝罪や償いの姿勢を見せれば、それで戦争責任を認めたかのように受けとめる錯覚のメカニズムが、ドイツ内外で定着したのではないだろうか。

三つの罪ABCのうち、Cさえ語ればよしとされた陰には、ヴァンゼー会議記念館のカイザー学芸員が指摘した「ホロコーストと戦争犯罪の意識的混同」があるはずだ。意識的に混同させたのは、一般国民というより政治指導者らだろう。それをメディアも国民も半ば気づきながら容認した。これは壮大な社会心理にかかわることでもあり証明はほとんど不可能だろう。だが、ひざまずきのインパクト、国際社会からのドイツへの評価という結果から見れば、そう推測できそうだ。

これは、先の「DEトリック」と並んで、ABCトリックとでも呼ぶべきものだった。ブラントの写真はひとり歩きし、彼はそのトリックの「意図なき仕掛け人」となったと考えられる。

AやBが論議されなかったのは、国防軍のクリーン神話とも密接にからんでいるのではないだろうか。ホロコーストはナチスのやったことと言い逃れができるが、戦場での戦争犯罪となると国防軍に焦点をあてるしかなくなる。まして、侵略戦争を遂行したのは国防軍そのものだった。さらに、ヒトラー時代の圧倒的多数の一般国民も、決して侵略戦争に反対はしなかった。連戦連勝のころ、軍も国民も「ヒトラーは軍事的天才だ」と熱狂した。侵略戦争を戦争責任の中心としてとらえれば、そうした一般国民の責任も問われる。

その面から見れば、ABCトリックは、国民がこぞって〈善いドイツ人〉になったDEトリックと裏表の関係にあるともいえる（図表1、2参照）。

ともあれ、ヴァイツゼッカー大統領が、戦後四十年の演説で述べた「解放の日」という欺瞞性については、第二章で述べた。だが、欺瞞、歴史の歪曲はそれだけではない。

ユダヤ人への迫害について語ったのは演説の第三部だった。その冒頭で、ヒトラー個人の責任をやり玉にあげた。

〈暴力支配のはじめ、私たちのユダヤ系同胞にたいするヒトラーの底知れない憎悪がありました。ヒトラーは、それを世間に決して隠しだてせず、全国民をその憎悪の道具としたのです〉

ドイツ人は道具になったという。ヒトラーの圧政によっていやいやながらユダヤ人迫害に加担させられたかのような表現だ。一方で、ヒトラーはユダヤ人憎悪を隠さなかったとする。それなら、なぜ選挙で一千四百万人もの有権者がナチ党に投票したか、つじつまがあわない。ゴールドハーゲンの指摘にあるとおり、ドイツ社会には根強い反ユダヤ感情があった。ヒトラーはそれを煽りうまく利用した。

ヴァイツゼッカーの演説は、ときに盛大な拍手を受けながらつづく。

〈ユダヤ人の集団虐殺は、歴史上、例がありません。この犯罪は少数の者たちの手によって行われました。世間の目からはさえぎられていたのです〉

ヴァンゼー会議によって、ユダヤ人絶滅は政府機構をあげての政策となった。ユダヤ人たちは、家畜用の貨車につめ込まれてアウシュヴィッツなどの絶滅収容所へ輸送された。戦争さなかの混乱にもかかわらず、官僚や国鉄関係者は整然と業務をこなしたとされる。占領地では、ナチの特別行動隊（アインザッツグルッペ）などだけでなく、ユダヤ人抹殺に努める国防軍陸軍の兵士も少なくなかった。

それが、演説では〈少数の者たち〉とされた。ヒトラーと少数のナチスをスケープゴートとする論法が、ここではっきり使われている。

ヴァイツゼッカーは、このあと一転してドイツ人一般の責任を話しはじめる。

〈戦争が終わり、言語に絶するホロコーストの事実のすべてが明らかになったとき、私たちのうちのあまりにも多くの人びとが、何も知らなかった、あるいは、うすうす感づいていただけだったと言い張ったのでした〉

〈罪の有無、老若にかかわらず、私たちはみな過去を受け入れなければなりません。……あとになって、過去を変えたり、起こらなかったことにしたりすることはできません。しかし、過去のまえに目を閉じる者は、現在についても盲目となるのです〉

このくだりはあまりにも有名で、くりかえし引用されてきた。ドイツが「戦争の罪責（クリークスシュルト）」をみとめ反省したものと一般に解釈された。だが、ここでいう「過去」は、文脈から明らかに「ユダヤ人への迫害と大虐殺＝ホロコースト（C）」を指している。

ヴァイツゼッカーは、敬虔なプロテスタント信者として知られ、だからこそ過去と真摯に対峙したとの評価がある。ベルリン自由大学のヴィッパーマン教授は、自分も活動的な信者だといい「ホロコーストは私たちにとって、刑事上の罪ではなく宗教的、倫理的な罪です」と話した。プロテスタント信者がホロコーストに固執するのは、そうした宗教的動機があるからだという。

「同じドイツ人でも、旧東出身の元共産党員の新聞記者は、私の話を理解できませんでした」といった。言葉を変えれば、他の戦争犯罪（A、B）は、相対的に軽いことを意味するらしい。

ヴァイツゼッカーはこのくだりの前、〈ある国民全員に罪があるとかないとかではありません。罪は、無実とおなじように、集団的ではなく個人的なものです〉と、集団としての罪を否定した。ドイツ人が集団としての罪を強く否定するのは、ナチスと同列に扱って欲しくない、ドイツ人だからと言って十把ひとからげに論じるな、という意識からだろう。しかし、過去の実態はそう単純ではなかった。

ヴァイツゼッカー演説は、このあと、ユダヤの信仰と神についてふれる。だが、〈イエスを殺したのはユダヤ人だった〉とも読める新約聖書の記述に信者が影響され、反ユダヤ主義の温床となったキリスト教の根源的責任については、いっさい語ろうとはしない。

ドイツ国民も被害者だった？

演説の第四部で、百年以上にわたるヨーロッパでの民族衝突、つまり戦争の話となる。

〈ヒトラーが、災禍への道に駆り立てる力となりました。彼が、大衆の妄想を発生させそれを利用したのです。……ヒトラーはヨーロッパ支配を望みました。しかも戦争によって〉

ここでも、ヒトラー個人の責任が強調され、大衆は扇動されただけだと歴史を単純化した表現がつづく。ヴァイツゼッカーは、〈だからといって、第二次大戦の勃発についてのドイツの罪責がけっして軽減されることはありません〉と言いながら、〈暴力に訴えたのはヒトラーです〉とくり返す。さらに〈第二次大戦勃発は、ドイツという名前とむすびついたままですが〉とし、ドイツという国と戦争をはじめたヒトラーとは、もともと別もののように語る。このあとでも〈ヒトラーのはじめた戦争〉と、念がおされる。

独ソ不可侵条約についてふれたくだりでは、〈ヒトラーのポーランド進駐（アインマルシュ）〉という言葉がつかわれ、法的責任のにじむ〈侵略（アングリフ、アグレシオーン）〉という表現はさけられた。さらに、大戦後、ソ連が東欧などに〈進駐〉したことが、わざわざ言及されている。

侵略の罪の相殺を図る歴代政権の基本姿勢がここにも見られる。

日本で、「侵略」「進出」をめぐる第一次教科書問題が起きたのは、一九八二年であり、この演説のころも余韻が強くのこっていた。しかし、日本では、ヴァイツゼッカー演説を称賛する声が圧倒的で、「進駐」という言葉はまったく問題にされなかった。

ヨーロッパではもともと戦争被害国でも「侵略」へのこだわりはあまりなく、問題にされるような表現ではなかった。

ヴァイツゼッカーは、〈戦時中、多くの国の人びとがナチ体制に苦しめられ、はずかしめられました〉とする一方で、〈苦しめられ、しいたげられ、はずかしめられた国民が、最後にもうひとつありました。私たちドイツ国民です〉と演説し、改めてドイツ人を被害者側においた。

この第四部は比較的みじかい。初期の連戦連勝に熱狂して「ヒトラー総統は戦争の天才」とたたえた一般国民、戦時国際法をはじめから無視する命令を出した軍部、戦いへ勇んで出かけた軍人たちの姿は、演説からすっぽり抜け落ちている。戦争をはじめたのはヒトラーであり、多くの諸国民が被害を受けたがドイツ国民も被害者だった、と歴史の一部だけを取り出して描かれている。

最大の責任がナチ指導部にあるとしても、国民に責任がないはずはない。それはホロコーストの場合と同じ構図のはずだが、ここには〈過去のまえに目を閉じるな〉との言葉はない。

ハンブルク大学政治学研究所は、ドイツ内外の各方面へ手紙を書き、ヴァイツゼッカー演説への意見、感想をもとめた。その結果、ユダヤ人、シンティ・ロマ人（一般にジプシーという蔑称で呼ばれている人びと）など迫害された諸グループ、旧敵国の大使や学者、国内政党関係者など計二十人から回答があった。

一九八六年、それらは『ある演説とその影響』のタイトルで出版された。それをみると、演説の一部表現にクレームをつけたり、戦後四十年も経ってはじめてこんな演説が行われたことを驚きとしたり、内容に矛盾、支離滅裂な点があるとしたりする声はある。だが、ほとんどが基本的には演説を支持している。

ただひとり、正面から異論をとなえたのは、キリスト教社会同盟（CSU）の連邦議員だった。解放の日というのはソ連のプロパガンダで東ドイツは抑圧されたままだ、という右からの批判だった。

なぜ、演説が内外で圧倒的な評価をえたのか。筆者が歴史家らに聞いた声をまとめるとこうなる。

①ユダヤ人だけではなく、ポーランドやソ連など東側の諸国の人びとも犠牲者であったと率直にいった。

②西ドイツでは、東西冷戦を反映し、反ナチス抵抗派のうち共産主義者などは顕彰されていなかったが、演説ではそれらにも言及した。

③和解し平和を実現させるために、自分のほうから手をさしのべようとアピールした。

④われわれはソ連邦の諸国民との友情を望んでいる、と東西の壁を越えて呼びかけた。

そして何より、ヴァイツゼッカー氏自身が、冷戦のさなかにあって東西融和などで地道な努力をかたむけてきた政治家であり、内外での個人的信頼があつかった。

ヴァイツゼッカー演説で完成した「DEトリック」

とはいえ、演説をいちおう評価するのは、「リベラルな知識人」を自認するドイツ人にとって、一種のタテマエ論のようなものらしい。踏み込んで聞けば、手放しでほめるひとはあまりいない。

前出のシュピーゲル誌のエルテル編集者は、当時、ボンで政治記者をしていた。大統領が過去と向き合った演説の歴史的な意義に注目し「非常に肯定的に受けとめました」としながら、こんな感想も述べる。

「ちょっと過大評価されていると思いました。あの演説に耳を傾ければ、彼がくり返しヒトラーとドイツ人個々の責任を区別しようとしていることに気づくでしょう」

そして、重大なポイントを指摘する。

「あの演説では、罪についてはほとんど何も話されず、責任や悲劇的な運命への告白が語られただけです。ヒトラーの下で行ったこととその結果引き起こされたものへの責任だけです。罪については語られず、したがって謝罪もありませんでした」

グラーザー博士の人物評は、さらに手きびしかった。

「彼は連邦共和国大統領として非凡な人物ではありませんでした。演説の中身は、すでに一九四五年から一九四七年にかけて誰かが言っていたことです。あの演説が受けたのはそれ（大統領が連邦議会で演説したこと自体）が目立ったからであって、その内容ではありません。一般大衆というのは非常に賢いから、知識人が言うことには反論しません。テレビやラジオ、新聞なども、全体としてはそうした線に沿っています」

祖国の指導者をほとんど批判しないというドイツ・メディアの伝統は、ここでも生きていた。たとえば、安倍晋三総理（当時）の戦後七十年談話を思い切り批判した、わが国左派メディアとの大きなちがいだ。

シェルゲン教授も突き放した。

「演説に新味はなく、なぜ受けたのか私にはよく理解できません」

一般国民にとって、自分や自分の家族が、ナチズムから解放された被害者側におかれるのは心地よかっただろう。ギュンター・グラスが指摘していた通りの心理学的反応が起こったのだ。アデナウアーや元将軍らによって仕掛けられ、冷戦プロパガンダのハリウッド戦争映画によって広められたDEトリックは、あの演説によって完成した。

もし、日本の首脳がつぎのような演説をしたらどうなるだろうか。

〈戦争に苦しんだアジア・太平洋諸国の人びとを想起します。しかし、日本人も被害者でした。昭和二十年（一九四五年）八月十五日は、私たちすべてが軍国主義から解放された日でした〉

周辺国と国内のメディアの多くから袋叩きにあうだろう。ドイツの場合、そんな反応はまったく現れなかった。ドイツはかつてひとりの独裁者によって暴政が敷かれていた、との先入観がもともと国際社会にあった。たとえば、全盛期のヒトラーを皮肉ってつくられたチャールズ・チャップリン制作・監督・脚本・音楽・主演の映画『独裁者』（The Great Dictator 一九四〇年）は、冷戦期もくり返し各国で上映され、そうしたイメージを固めたはずだ。

先入観は簡単には変わらない。ドイツの国家元首が〈私たちも犠牲者だった〉と語れば、やはりそうだったのか、とうなずく素地はまちがいなくあった。

敗戦から七十五年となった二〇二〇年五月八日、ベルリンの戦争犠牲者の追悼施設で式典があり、シュタインマイヤー大統領は〈不名誉なのは、責任を認めることではなく否定することだ〉と演説、加害の歴史を思い起こすことの大切さを訴えた。

一方で、ベルリン市は「人種差別や排除に反対する日」として一年限りの祝日にした。「ファシズムからの解放の日」として恒久的な国民の祝日にしようとの声も上がっているという（朝日新聞五月九日朝刊）。いまでも、国民の多くには被害者意識が根強くあり、ナチ体制を全力で支えた記憶は忘却されたままのようだ。

世界を欺いた「ABC=DEトリック」はこうして作られていった！

もちろん、ドイツの歴史家らのなかには、カラクリに気づいている人たちがいる。ドイツ=ロシア博物館のヤーン館長とのインタビューで、演説には非常に大きなトリックがあるのでは、と質問をぶつけた。館長はきっぱり言った。

「あなたの指摘は、絶対的にそのとおりです。あなたの立場では言えても、私には言いにくいことがあります」

ヤーン館長が短く指摘したのは、ヴァイツゼッカー本人の過去だった。

「彼はレニングラード攻防まで戦ったドイツ国防軍の将校でした。そして戦友たちと同じように、実際に起きていたことを見たくなかったんです。もちろん、厳密な意味において彼はナチではありませんでしたが、そうした軍の伝統の中で生きています。国防軍の犯罪について言えば、彼は非常に慎重です」

先述のマルティン・ヴァイン著『ヴァイツゼッカー家　あるドイツ人家族の歴史』(邦訳は平凡社。一九九三年)第八章には、ヴァイツゼッカーの思想形成に大きな影響を与えたと思われる、少年期のある経歴が述べられている。

彼は、ヴァイマール共和国末期、「大ドイツ青年同盟」という団体に、のち職業軍人となる兄ハインリヒとともに入っていた。これは〈父の海軍時代の知人で、かつての海軍中将アドルフ・フォン・トロータを中心とする国粋主義的保守主義の組織〉だった。

別の資料によると、「大ドイツ青年同盟」は、「ドイツ義勇軍」「ワンダーフォーゲル」などの団体とともに、当時の学校教育の現場でのナショナリスティックな潮流を示す一例だった。ドイツの民族性が強調される一方で、民主主義を否定的にとらえるものだったらしい(マルグレート・クラウル著『ドイツ・ギムナージウム　１７８０-１９８０』一九八四年刊。邦訳はミネルヴァ書房、一九八六年)。

伝記『ヴァイツゼッカー家』によれば、この団体は、ヒトラーの政権掌握から四カ月半後の一九三三年六月十七日、ナチ政権の画一化政策(いわゆるナチ化)によって解散させられた。つまり、プロイセン軍国主義の流れをくむ右翼の非ナチ団体だった。ヴァイツゼッカーは「ナチではないが、軍の伝統のなかで生きている」というヤーン館長の言葉とも符合する。

ヴァイツゼッカーは、十三歳の誕生日を迎える直前、ノルウェーの首都オスロへ公使として赴任する父とともにベルリンを離れた。そのときまで、この青年団体のメンバーだった。

しかし、氏の回想録『四つの時代』(邦訳『ヴァイツゼッカー回想録』。岩波書店、一九九八年)には、「大ドイツ青年同盟」での自身の体験も、元職業軍人の父からどんな思想的影響を受けたかも、いつ国粋主義的な思想から脱却したのか、あるいはそうした思想にはもともと関心がなかったのかについても、ふれられていない。

ユダヤ人に対しては、ヒトラー時代に生きたほとんどすべてのドイツ人に負い目があった。その過去に目を向けようと語りかけられたとき、極右やネオナチのように開き直らないかぎり、表立った反論はできない。

演説の言葉に心酔するか、ひそかに反発するしかなかったはずだ。

ドイツ人にとって言い訳のできないホロコースト(C)の問題を中心におき、侵略の罪(A)

や戦場で犯された罪（B）をそのかげにかくす「ABCトリック」が、演説でもうかがえる。

演説は〈真実を直視しようではありませんか〉と高潔な言葉で結ばれ、人びとの心を揺さぶった。しかし、それには〈私たちにできるかぎりの範囲で〉という留保のひと言がつけられている。ヴァイツゼッカーは、自分に可能なかぎりでしか過去を直視しなかったともいえる。

そして、演説は冷戦トリックの集大成だった。

ヒトラーは〈嘘が大きければ、必ずそのなかに「信じられる」一定の要素がある。小さな嘘より大きな嘘に人は引っかかる〉と人間心理をよく研究していた。しかし、ヴァイツゼッカーは主観的には良心の人であり、演説の論理と言葉がトリックだなどとは意識していなかったかもしれない。むしろ、内面では、精神分析の用語で語れば、思い出したくないことを潜在意識に沈めてしまう「記憶の抑圧」、自責の念や罪の意識から逃れるため自分の考えや行動を正当化する「合理化」などの心理作用がはたらいていたのではないだろうか。

反対に、演説を聞いた人、あるいはその評判を伝え聞いた人たちは、彼の理知的な容姿と高潔なイメージ、貴族という出自、大統領という肩書き、連邦議会という公式の場、そして格調高いドイツ語演説の言葉に惑わされた。心理学では、人びとがみかけや権威に弱く、高い価値のありそうなものを無批判に受け入れる傾向を「威光効果」「後光効果《ハロー》」などと呼ぶ。

まさに、ヴァイツゼッカー演説は二つの国家トリックの集大成であり、筆者は「ABC＝D

E」トリックと名付けた。それは大統領自らと国際社会を欺いた。

一九七〇年、ブラントがワルシャワのゲットー記念碑前でひざまずき、国際社会におけるドイツのパーセプションは格段に好転した。八五年のヴァイツゼッカー演説で、そのイメージはさらに高まり、一見、世界を感服させた。

だが、九四年、ときの大統領ヘルツォークは、ワルシャワで「ドイツ人が行ったすべての罪」について謝罪し、事実上、ヴァイツゼッカー演説の欺瞞を修正した。それは極めて重大な意味をもっていたが、ドイツ人の多くはそれに気づかないか無視をした。九六年のゴールドハーゲン論争では「ふつうのドイツ人」のホロコースト関与が指摘され、ドイツのメディアや知識人は反発と受容という大混乱ぶりをみせた。

そして九七年、ミュンヘンで「国防軍の犯罪」展をめぐり、左右両派が一触即発となり、一躍、関心を集めた。展示はドイツ各都市だけでなく周辺国でも数年をかけて巡回し、それまでクリーン神話に守られていた旧国防軍将兵の戦争犯罪・人道犯罪を白日のもとにさらした。それは、ドイツが言う過去の克服とはそもそも何だったのか、という疑問を呈した。

こうして、二〇世紀が終わるころ、ドイツの戦後トリックは崩れていった。【第一章】で、「ILOの件で注目すべきは、ドイツ労組代表が慰安婦問題を議題とする側に回った一九九九年というタイミングだ」と書いた。それが、戦後トリックが崩れスケープゴートをいったん失ったときだった。ドイツ人の深層心理には、日本を新たなスケープゴートにしようとする心理メカニズムが働いたとみられる。

だが、国際社会では独日ステレオタイプがいまにつづいている。それだけ強烈な先入観、固定観念だったわけだ。

第五章 「反日日本人」はいても「反独ドイツ人」はいない

歴史家へのヒント

ニュルンベルクのゾネンベルガー博物館局長と話しているとき、筆者はふと思いついてこうたずねた。

「いま私がしているようなインタビューを、これまでに受けたことがありますか？」

「いえ、ありません。これはとても有意義な、また刺激的なインタビューです。というのは、これまでドイツ人も外国人のジャーナリストもふれることのなかった核心に、あなたがふれているからです」

前章で詳述したような、戦争犯罪にはA、B、Cの三カテゴリーがあるが、ドイツ人はほとんどCにしか関心を向けてこなかったのではないか、と筆者が話したことを指していた。

ナチス犯罪関連の展示施設「テロの版図」のカンプハウゼン館長もこんな感想を口にしてい

た。

「戦争犯罪にこうした三つのカテゴリーがあるということを意識したことはありませんでした。あなたは私たち歴史家みんなにヒントを与えてくれました。実に興味ぶかいヒントを与えてくれました」

ニュルンベルクが国際軍事裁判の場所に選ばれたのは、この地方都市でかつてナチ党が大規模な党大会をくり返し行い、ナチズムの拠点となっていたからだった。サッカー場のゆうに四倍以上はありそうな会場跡はいまも残っている。筆者も、取材の合間に、正面スタンドのヒトラーが演説をぶった舞台に立ってみた。ゾネンベルガー局長は言った。

「市ではいま、ここから十キロほど離れたナチ党大会の会場跡に、史料センターを設立しようとしています。人権が中心テーマであり、戦争と平和についてはきちんと位置づけてはきませんでした。でも、考えなおすべきかもしれません。あの党大会の会場で、国防軍は大きなショーを行い、最新型の戦車とか飛行機などを示して、世界に自分たちの力を誇示したわけです。あれは精神的に戦争を準備するための手段だったんです。国民が自分たちの軍隊を誇りに思い、戦争への意欲をもたせるようにしむけるためだったということです。私たちは世界最強の軍隊を持っており、私たちを危機に陥れることなどだれもできないという思いを抱かせるために」

ゾネンベルガー局長は、新しい発見をしたようにちょっと興奮しつづけた。

「あなたはとてもいいポイントを突いていると思います。つまり、あなたのおっしゃるように、戦争博物館とか軍事博物館などではなく、平和博物館という新しいタイプ、新世代の博物館をつくる必要があるということについて。

いま私たちには、ドイツにおいてどのように戦争準備が行われたかを示すとてもいいチャンスがあるわけです。戦争と平和をめぐるこの地元の歴史を、もちろんそれは同時に国の歴史でもありますが、それを展示するいいケースになると思います。もし、この関心を人権にかぎらずもうひとつの教育的な考え、平和のための教育に利用するならば、ひじょうに意味のある事業になることでしょう」

弱腰との批判を受ける博物館

【戦争悲劇に焦点　独軍事博物館「愛国心高揚」展示なし】

読売新聞の二〇一二年十一月二十七日付朝刊に、右のような見出しの記事が掲載された。ドイツ東部ドレスデンにあるドイツ連邦軍の軍事歴史博物館が二〇一一年に新装され、〈異色の展示が話題を呼んでいる〉という。建物は、十九世紀末に軍事博物館として開館し、ドイツ再統一後、旧東ドイツの軍事博物館を全面的に見直す構想が持ち上がり、新装開館した。記事にはこうある。

〈博物館長のマティアス・ロッグ大佐は、「構想段階から、兵器や軍服中心の展示ではなく、多面的に戦争の現実に迫るという方針があった」と語る〉

〈軍事博物館には、愛国心の高揚などを目的としたものが少なくないが、この博物館の展示にはその傾向はみられない。むしろ、戦争に伴う「暴力と苦悩」に力点が置かれている〉

そして、筆者が注目したのは、以下のくだりだ。

〈右派からは「あまりに弱腰、柔弱だ」などと批判され、武器や技術の展示を期待する来訪者の多くは、驚き失望する〉という。

この記事には、なぜ戦後六十数年も経ってから〈戦争の悲惨さ〉などを伝える〈異例の〉博物館に新装されたのか、また、なぜドイツの右派は展示を弱腰、柔弱だなどと批判するのか、その理由が書かれていない。

「ドイツは戦争の過去を反省し克服してきた」と先入観をもつ圧倒的多数の日本人読者に、この記事の意味は理解できないのではないか。読者にとってもっとも重要な点に踏み込んでいない。

展示の内容からみて、日本では珍しくもない平和博物館に近いものだろう。筆者は、ゾネンベルガー博物館局長をはじめたくさんのドイツ人歴史家に取材し、そのたびに、「ドイツはＡＢＣのうちＣについてのみ意識を集中しているが、日本はＡとＢを語る」と説明した。彼らは、プロの歴史家でありながら、AとBはほとんど研究してこなかった。

ドレスデンの博物館が、どういういきさつで新装展示されたかも記事にはない。二〇一一年開館というタイミングからみて、筆者の取材を受けた歴史家らが十年余りをかけて動いたのだろうか。

ドイツの右派は膨大な数に上り、世論の重心はかなり右に傾いている。展示をみた右派から〈あまりに弱腰、柔弱だ〉などという反応があることも、ABC＝DEトリック説で説明できる。ドイツ人は戦争ではなくホロコーストに関心を集中させてきた（ABCトリック）し、ヒトラーとナチスを〈悪いドイツ人〉だとスケープゴートにし自らは〈善いドイツ人〉だとしてきた（DEトリック）からだ。

なぜ、ドイツは立派で日本はだめだという先入観、本書で言う独日ステレオタイプが定着したのだろうか。まず、ヨーロッパの戦後の状況をみる。

反独の心理学　ルトワック説

ルーマニアで生まれイタリアやイギリスで教育を受け、アメリカの大学で博士号を取った軍事戦略研究者エドワード・ルトワック（一九四二年生まれ）は、ドイツ周辺国の対独感情について次のように語っている（Ｈａｎａｄａ二〇一九年十二月号）。

〈フランスでは戦時中、実に多くの一般人がドイツの軍需工場で半強制的に働かされていた。現在のフランス政府が、このような過去の不幸に遭遇したフランス人に損害賠償するよう、ドイツを非難する声を上げることはない。……二〇一九年現在、ドイツに対して公的に損害賠償を要求する人がいれば、フランス国内では変人扱いされるようになっている〉

フランス人は遅まきながらもナチス・ドイツに一応抵抗した過去を持つ。戦後、フランスは国是に「反独」をあげたことなどなく、西ドイツに和解の手を差し伸べた。その背景としては、東西冷戦で対峙《たいじ》する両国共通の敵・ソ連がいたことも大きかった。

〈第二次世界大戦が終わるまでに、ドイツはロシア人を二千万人以上殺害していた。一九四五年の終戦から十年経っても、ロシアの反ドイツ感情はまだ激しかった。それから七十年以上経過した現在、ロシアでは反ドイツ感情はすべて消え去っている。……ドイツ人はロシア人を殺し、ロシア人もドイツ人を大勢殺した。そして戦後、お互いに「もう戦いはやめよう」となったわけだ〉

ロシアはドイツと史上最大規模の残虐な独ソ戦争を戦ったがゆえに和解できた、とルトワックはみる。同様のケースとして、旧ユーゴスラビア・ダルマチア地方の例もあげている。

〈この地域は第二次世界大戦中、ユーゴスラビア王国とドイツとの激戦地で、戦死者もたくさん出たが、ユーゴの人々は（戦後）ドイツからの旅行者を大歓迎していた。その理由は、ドイツ人がユーゴ人を殺し、ユーゴ側もドイツ人を大勢殺したからだ。彼らは決して臆病者ではなく、立ち上がり、戦ったのである。誰も自分たちの父を恥じることなく、誇りを持てた。だからこそ戦後、ドイツ人に対して友好的になれたのである。

ベルギーもデンマークもノルウェーもナチス・ドイツと戦ったり抵抗したりしたから、戦後、反独にはならなかった。

それと正反対だったのが、ドイツの西隣オランダだった。

〈ドイツが戦時中に殺害したオランダ人の数は、ロシアと比べれば非常に少なかった。……（それにも）かかわらず、ドイツ人への憎しみを解消するまで、ロシア人よりはるかに長い時間がかかった。その最大の理由は、ロシア人はドイツと戦ったが、オランダ人はそうではなかったからだ。……オランダ人は臆病者で、抵抗しなかったのである。オランダ社会はドイツに服従し、対独協力が大々的に行われた。……若いオランダ人たちは、自分の父親たちが臆病者であったからこそ、戦後に反ドイツ的な感情を持ち続けたのである。……表面上は、ドイツ人に対する反発の感情は、三十年ほどでオランダ人から消えた。韓国のように、七十年以上も騒ぎ立てることはしていない。しかし、ドイツに対する表立った反感は消えても、オランダ人の心のなかにはその問題が燠火《おきび》のように残り続けている〉

筆者が、ドイツ生まれのユダヤ人でオランダに移住した現代史家フォン・ドゥンク教授の自宅を訪れ取材したとき、こう語っていた。

「今夜、ドイツとオランダのサッカーの公式試合があります。スタジアム内外では興奮した若者同士が乱闘するかもしれず、警備は大変です。両国の因縁はとても深いのです」

だが、オランダは、韓国のように国是として反独政策を掲げているわけではない。

ナチス・ドイツに侵略された被害国のほぼすべては、キリスト教国だった。反ユダヤ主義では、同じように負い目があった。西ドイツは、戦後、ナチズムを全否定しキリスト教文化へ回帰したが、周辺国はそれを歓迎こそすれ警戒したり批判したりする必要はなかった。

ヨーロッパならではのそういう宗教的文化的な素地があったからこそ、戦後のある時期から、ドイツは過去との取り組みについて立派だというパーセプションが広まったのだろう。

〈反独ドイツ人〉のいないドイツ

国際社会に独日ステレオタイプが定着した理由のひとつとして、筆者は、ドイツに〈反独ドイツ人〉がいないためではないか、という仮説を立てた。

どの国にも左翼やさらに極端な極左は存在する。とは言え、ドイツには「あることないことを広めて祖国を貶《おとし》め、周辺国のある勢力とタイアップして外交関係を破壊する」ことが正義と考える病んだ個人ないし集団はいないようだ。ここで言う「周辺国のある勢力」とは反独勢力のことだ。

筆者の情報源であるドイツに住んでいる日本人たちにも、「日本の〈反日日本人〉の例と比べ、ドイツには〈反独ドイツ人〉がいるか」と聞いてみた。その結果、「ドイツにはそういう人物も勢力も存在しないだろう」という答えだった。つまり、反独感情が尾を引いているオランダの一部勢力と手を組んで反独活動をするような〈反独ドイツ人〉はいない。

それは、ドイツ在住作家・川口マーン惠美の以下のレポートからも明らかだ（現代ビジネス二〇二〇年一月十日配信）。

ライプツィヒやハンブルク、ベルリンでは極左グループが建物を占拠し牙城となっていて、立ち退かせようとする警察とのあいだで戦闘行為がくり返されている。

それについて、左派党だけでなく連立与党の社会民主党（SPD）議員までが「警官隊の出動が妥当であったかどうか早急に調査するべきだ。もし、妥当でなければ、この事件の責任は州の内相（キリスト教民主同盟＝CDU）にある」と極左を擁護するような発言をした。大手メディアまでが、警察が不必要に大掛かりな出動で左翼を挑発したのではないかとか、極左びいきの報道を流した。

川口はこう書く。

〈私は兼ねてより、ドイツのメディアがいかに左に振れてしまっているかということを書いてきたが、此の期に及んで、警官憎悪や右翼憎悪はタガが外れてしまったと感じる〉

だが、ここで伝えられるドイツの極左も左傾化したメディアも、日本のケースとはまるでちがう。〈反独ドイツ人〉が存在しないということを証明するのは、言わば「悪魔の証明」であり難しい。とは言え、筆者の知る限り、また、〈反日日本人〉とはどういう存在か知っていて長年ドイツに住む日本人たちの見方から言っても、確かなことだろう。

〈悪いドイツ人〉をスケープゴートにした

ドイツの極左が反政府、反社会的なグループであることは確かだ。しかし、周辺国を巻き込んで地域の平和を乱すような暴挙に走ることはないようだ。

それは、戦後ドイツにスケープゴートがいたという事実が大きな原因ではないだろうか。ヒトラーとナチスを絶対悪で〈悪いドイツ人〉としていれば、主観的に自分たちは〈善いドイツ人〉でいられた。知識人もメディアも一般国民も同じだった。それは、是認すべきことではないかも知れないが、少なくともドイツ人の精神を安定させる要素ではあっただろう。

それ以前に、ドイツ周辺国には、日本と接する北東アジア、特に韓国とちがい、ある勢力＝反独勢力がそもそも存在しなかった。

ドイツにも、ときの政府を批判し、保守派を叩く左派メディアはある。主なところでは、シュピーゲル誌や南ドイツ新聞などがそうした傾向を持つ。だが、よくよくチェックすると、ドイツの国益を損なうような報道は基本的にはしない。二〇二〇年半ばの時点で、川口マーン惠美も〈いまのドイツのメディアでは、メルケル批判と中国共産党批判はほとんどタブーになっている〉とする。

たとえば、おなじ左派メディアと言っても、南ドイツ新聞と、わが国の反日メディアの代表格であり数々の記事捏造や半ば意図的ともみえる誤報をくり返してきた朝日新聞では、本質も罪科もちがう。

日本と比べた場合、ドイツには次のような社会政治現象がみられる。

1．ニュルンベルク裁判史観がない

2．スケープゴートが近年まで存在し、多くのドイツ人は〈善いドイツ人〉として生きてきた

3．〈反独ドイツ人〉も日本のような反日メディアも存在しない

これら三要素は同根なのかも知れない

ドイツ人は「生きるための嘘」が必要だった

ヨーロッパの近現代史についての長期にわたる取材のなかで、もっとも筆者の心に残ってい

るのは、ゾネンベルガー博物館局長のこんな話だ。

「ドイツ語にはレーベンスリューゲ（Lebenslüge）、生命の嘘という言い方があります。ある人が精神的に生きていけるために、生きつづけるために、自分に嘘をつくことです。私たちは、まず、ホロコーストというCの罪に向き合わなければならなかったわけです。そのさい、Aの侵略戦争を行った罪やBの通例の戦争犯罪と同時に向き合うのはあまりにも重過ぎました。きっと、心理学的な観点からいえば、ふつうのドイツ人の心が耐えられる以上の重荷があったということでしょう。自分たちにも何か罪を感じなくてすむ領域があることが、ドイツ人にとってはうれしかったのです」

レーベンスリューゲは英語ではヴァイタル・ライ（vital lie）とされ、独英辞書では「自己欺瞞の心理作用」と説明されている。

「六百万ものユダヤ人を殺したあまりにも大きな罪を受け入れるために、少なくともこの部分では私たちには罪はないと人びとが言えるような領域が必要だったのでしょう。人間の心というのは、罪と恥のすべてを受け入れるようにはできていないのではないでしょうか。

そして、すべての罪を受け入れるまでに、時間が必要だったのです。まずホロコーストの罪に向き合うのに、数十年という時間が必要でした。いまやこのレーベンスリューゲが崩れていき、別の領域が浮かび上がったということです」

退役海軍中佐の軍事史家ハルトヴィヒ博士も、国防軍の犯罪にからんで言っていた。

「クリーンな国防軍という心に刻み込まれたイメージに反対するようなことを議論するのはとても難しいんです。加担した人たちは、そんなことを考えたくはないんです。実際に起きたことを認識するためには、みんな精神分析を受けなければならないでしょう」

筆者は、レーベンスリューゲを「生きるための嘘」と訳すことにした。ドイツでは、それがABC＝DEトリックとなった。倫理や正義正論だけでは処理できないものを包みこみ、国のイメージを保ち、人びとの心を癒してきた。

ゾネンベルガー博物館局長は、別れぎわこう言った。

「戦後、元ナチスでありながら（非ナチ化に便乗して社会復帰し）人びとに尊敬された者が数百万人もいました。恥ずべきことかもしれませんが、一方で新しい民主主義を生み出す原動力になった面もあります。十年後、十五年後にも耐えられるような説かどうかは知りませんけれど、歴史をいろいろな視点から見直してみるのはとても興味深いことです」

しかし、ドイツのトリックは十年も持たず、まもなく崩れた。

独善的な病理の暴走

【第二章】で、ゴールドハーゲン大論争についてふれた。あのユダヤ系アメリカ人歴史学者は、

〈ドイツ人こそ自発的にヒトラーの死刑執行人だった〉と断じた。〈ナチスではなくドイツ人という呼びかたこそそれにふさわしい〉とも。

戦後五十年を機にスタートした「国防軍の犯罪」展は、一九九七年にミュンヘンで大炎上し、つづく九八年、九九年、さらには世紀を超えて国内外の各都市を巡回し、そのたびに大きな注目を浴びた（筆者注：展示で示されたユダヤ人処刑などの写真は、すべて旧ソ連の反ナチス・プロパガンダ用の謀略写真だったことが、ある時点でわかった。だが、ドイツ内外の歴史家らは、写真の検証が甘かっただけで本物の写真はいくらでもあるとした。つまり、「国防軍の犯罪」展が示した戦争犯罪、人道犯罪は史実だった）。

極右や保守派の反発は消えなかったが、ドイツ人はそれを受け入れた。より正確に言えば、受け入れたようにみえた。

だが、スケープゴートに罪責を押しつけ自らは清らかであろうとする人間の心理メカニズムは、ドイツに限らずどこの国でもよくみられることだ。ドイツ人は決して、本心から受け入れ納得したのではないだろう。その罪責はあまりに重すぎるからだ。

【第一章】の末尾で、ドイツの厚顔無恥について述べた。ＩＬＯのドイツ労組代表が、自国の過去を棚に上げ、日本の慰安婦問題を議題とする側に回ったタイミングに注目すべきだと書いた。

その一九九九年という年は、三年前にゴールドハーゲン大論争でドイツの言論界やメディアが騒然となり、二年前はミュンヘンで「国防軍の犯罪」展が激論を呼び、ドイツはいったい過去の何を清算し克服してきたのだ、といった批判が強くなったころだった。

ドイツのメディアが上から目線で日本の戦争責任を非難することは、前出の南ドイツ新聞のヒールシャー以来くり返されてきた。いわゆる南京大虐殺事件など、詳しい史実も検証しないまま日本を批判する論調はかねてから散発的にみられた。だが、「国防軍の犯罪」展の大炎上以降に向けられる日本非難は、過去みられないものだ。メディアや連邦議会での日本攻撃は目に余る。【第一章】でも触れた、慰安婦像の展示をめぐるドイツ知識人の直接関与もその一環だろう。

「ABC=DEトリック」が完全に崩れスケープゴートを喪失したドイツ人は、無意識の領域で、罪悪感を相殺・緩和しようとドイツ国外のスケープゴート探しに走ったのではないか。それが旧日本軍であり日本政府であり日本の「右翼」だった。新たなスケープゴート探しをしているなどと、ドイツ人自身は夢にも自覚していないだろうが。

耐えきれないほど重い過去を抱えるドイツは、自覚症状のない深刻な病理を抱え、暴走をはじめているのではないか。その結果として、独日ステレオタイプが増幅される恐れは強い。

韓国系反日団体などからの根拠のないプロパガンダを真に受けたドイツの日本非難に対し、

われわれが断固として反論すべきなのは、言うまでもない。

第六章　日本発の「反日病」が韓国、ドイツに感染

歴史にプライドを持てない韓国

韓国は極左民族主義の文在寅政権下で、「親日称賛禁止法」と俗に呼ばれる法律の成立に向けて動いている。成立すれば、反日が政治的に国是となることが確定する。

文筆人の但馬《たじま》オサムによると、〈二〇一八年に一度発議され、そのときは成立にいたらなかった「日本の植民地支配と日本軍の性奴隷制度の被害者に対する虚偽および情報操作禁止法」のリニューアル版〉だ。

〈日本統治時代に関して「事実」と異なる主張や歪曲した見解を禁ずるという法律で、無論、ここでいう「事実」とは文政権の主張する歴史観を基にした「事実」であって歴史の真実という意味ではない。たとえば、慰安婦の強制連行や徴用工の奴隷労働を否定したり、併合時代の日本や総督府の政策の一部でも称賛したり、侵略戦争という文脈以外で先の日本の戦争を語るこ

とはすべて、この法律に抵触する恐れがある。最悪の場合、「二年以下の懲役、または二千万ウォン（約二百万円）以下の罰金」が科せられるという〉（WiLL二〇二〇年八月号）

この法案には、二〇二〇年四月の総選挙の際、与野党候補の九七パーセントが賛成しており、成立は確定的とみられている。

法案作成に当たっては、ヨーロッパのいわゆる「ホロコースト法」を参考にした。ドイツ、フランス、オーストリアなどでは、ホロコーストをはじめとするナチス犯罪を否定したりナチスを肯定賛美したりした者には刑事罰が科せられる。

つまり、韓国は、旧日本軍やかつての日本の朝鮮総督府とナチスを同列に置こうとしている。ドイツでの韓国系反日団体による慰安婦像設置キャンペーン、ドイツ人によるナチスと旧日本軍の同一視の背後には、こうした動きがある。

空疎な憲法前文

ナチス・ドイツと戦い、あるいは抵抗したヨーロッパの国々は、戦後、反独にはならなかった。それは、ある民族や国民の誇り《プライド》という心理学レベルの問題だ。

それとは逆に、日露戦争の結果、日本の統治下に入った朝鮮半島では〈実は、抵抗運動《レジスタンス》と呼べるようなものはほとんど発生していない。朝鮮人は概して服従的だった〉〈むしろ多くの人々は、服従以上の態度で自発的に日本に協力し、日本軍に積極的に志願したのである。その数は八十万人にのぼる〉。

そう指摘する前出のルトワックは、韓国の反日は〈心理的な問題だ〉（Ｈａｎａｄａ　二〇一九年十二月号）とする。

〈日韓関係は外交問題ではないこと。日本は関係改善のためにあらゆる努力を試みてきたが、問題の本質は日韓の間にはなく、韓国人の世代間ギャップ、つまり現役の世代と、その父や祖父たちとの間に横たわる問題だ。自分たちの祖先が、日本の統治時代に臆病者として行動したことへの反発なのである〉

韓国は、日本の敗戦により〝漁夫の利〟で独立した。大韓民国憲法前文は、こう書き出されている。

〈悠久な歴史と伝統に輝く我々大韓国民は、3・1運動で建立された大韓民国臨時政府の法統と、…〉

3・1《さんいち》運動は、一九一九年（大正八年）三月一日にはじまった大日本帝国からの独立運動だ。「独立宣言」に三十三人が署名したのが発端で、キリスト教などの宗教指導者たちが扇動し、半島全体に運動が広がり、暴動が多発した。日本人惨殺や放火などが相次ぎ、朝鮮総督府は警察や軍隊を投入して治安維持に当たった。逮捕者は多数出たが、いずれも軽微な罪に問われただけで極刑になった者はいない。ナチス・ドイツに対する周辺国のケースと比べ、本格的な独立運動や抵抗運動だったとはとても言えない。

大韓民国臨時政府は、3・1運動の後、李承晩《イスンマン》らによって中華民国の上海市で結成された。だが、内紛が絶えず、他国からの承認も得られなかったため、実態はほとんどなかったとされる。

憲法の書き出しは格調高いが、実際には、独立後の韓国人が「大日本帝国から独立を勝ち取った」と誇りを持てるような事象は皆無だった。

〈韓国人はいまだに、自分たちの父親や祖父たちが臆病者で卑屈だったという心理的トラウマに悩まされている。これはオランダ人のケースと同じだ〉（ルトワック）

それが反日を国是とするまでになった心理学的理由だろう。

ただ、その反日は「国家的タテマエ」ではないか。本音とは別に反日ぶらなければならない「空気」があるのではないか。新型コロナ禍に見舞われる前の二〇一八年、訪日韓国人数が史上最多となる七百五十三万人を達成した。嫌いな国にこれだけの人が来るわけがない。韓国人は他人の目を意識し、たとえば日本製品の不買運動に参加したくなくても、買うのを他人に見られると親日として批判されることを恐れ、不買運動に参加するという。

それは、わが国の平和主義が、国是であると同時に国家的タテマエであることと通底すると思われる。もちろん、日本人が本音では他国侵略を狙っているなどという「平和か戦争か」の二元論ではない。「平和は、祈ったり、願ったり、唱えたりするだけではなく、他国からの武力攻撃、サイバー攻撃などに対抗する具体策を構築しなければ、達成も維持もできない」との現実を理解している日本人が非常に少ないという意味だ。戦後、日本の左派が口先で唱えてきた平和主義はエセ平和主義であり、わが国の平和も世界の平和も守れない。

韓国と台湾

韓国では、祖国の歴史にまったく誇りが持てないがゆえに、歴史の捏造や歪曲が頻繁に行われ、しかも韓国人のほとんどは、それがまっとうな歴史認識だと盲信している。

日本の立場から言えば、朝鮮統治は日露戦争で勝利しロシアの進出を阻むための自衛策だった。日本はその前の日清戦争でも勝利し、台湾を獲得した。

台湾では日本統治時代にいくつかの抗日蜂起事件があった。一九三〇年には南投県仁愛郷で最大の犠牲者を出した「霧社事件」が起きた。この事件では百三十四人の日本人が殺害され、蜂起したセデック族の人々はその後、日本側による攻撃や弾圧で約千人が死亡したとされる。ルトワック説を適用すれば、蜂起の誇りがあるがゆえ、逆説的に、台湾は非常に親日的だと言える。

加えて、「台湾民主化の父」と呼ばれる李登輝（一九二三〜二〇二〇年）の功績が非常に大きい。日本統治下の台湾で、人びとは日本名を持ち日本語を話し、日本兵として戦った若者もいた。一九四九年、中国大陸で共産党との内戦に敗れた国民党が台湾に来て、戒厳令を敷き独裁体制をとった。戒厳令は三十八年間にわたり、「中国人」としての歴史学習を強要した。だが、一九八八年に李登輝が総統に就任し「台湾人が真の主人となる台湾」を目指して民主化を進め、歴史教育も大きく変え日本統治時代を再評価した。

台湾で継続的に行われている世論調査で「最も好きな国（地域）」を尋ねると、日本が不動のトップで、二〇一八年度調査では、五九％が日本と回答した（読売新聞、二〇二〇年八月二十七日朝刊）。

台湾へ行けばすぐわかるが、親日は決して国家的タテマエではない。日本語の流暢なあるタクシー運転手は、日本と日本人が大好きだそうで、こう語っていた。

「日帝は台湾の金塊と檜《ひのき》をごっそり持って行ったが、鉄道網を敷き教育制度も整えてくれた。それがなければ、こんなに発展しなかった」

彼の息子は日本人女性と結婚し、埼玉県に住んでいて、ある大手電機メーカーの支店長をしているという。彼もときどき訪日する。

一方で、犠牲者を出す独立運動さえできなかった韓国の国民性が、世界に類を見ないレベルの反日を生んだ。そして、かの半島国家ではそれこそが正義とされ国是となった。日本発の独日ステレオタイプは、それとシンクロナイズした。ドイツにまで慰安婦問題が〝輸出〟されたのも、まさに韓国の反日が元凶だった。それは韓国の病理であり、一衣帯水の地に位置する日本の不運だった。

日本で創作された残酷物語

独日ステレオタイプが国際社会に流布し定着した最大の原因は、何と言っても慰安婦問題だった。それを歪めて伝え発信したのは一部の日本人でありマスメディアだった。その事実を、海外ではもちろん日本国内でもよく知らない人が多い。

戦時中、旧日本軍には慰安所があり、そこで日本の本土や朝鮮半島、東南アジアなどの出身の女性が働いていた。戦後、それが特に隠蔽されていたわけではない。現代史家・秦郁彦の大著『慰安婦と戦場の性』（新潮社。一九九九年）には、こうつづられている。

〈戦場帰りの兵士たちが溢れていた敗戦直後から、慰安婦たちは戦記、小説、映画、演劇作品のなかに、なじみ深い脇役ないし点景としてしばしば登場していた〉

そして、秦によると、一九七三年に刊行された元毎日新聞記者・千田《せんだ》夏光《かこう》の『従軍慰安婦——〝声なき女〟八万人の告発』（双葉社）で、初めて「従軍慰安婦」という呼称が使われた。千田は、勤労奉仕に動員された女子挺身隊を慰安婦と混同し、朝鮮総督府や現地部隊による慰安婦の「半強制・強制狩り出し」が横行したかのような書き方をした。

〈本が出た時にはとくに注目されたわけではないが、のちに八〇年代から九〇年代にかけて、慰安婦問題に取り組んだ関係者の多くが千田の著作を読むところからスタートしただけに、抜きがたい先入観を植えつけた〉

一九八三年には、秦の言う職業的詐話師の吉田清治が『私の戦争犯罪』（三一書房）を刊行し、韓国・済州島での「慰安婦狩り」を臨場感のある筆致で描いた。朝日新聞は、その内容を裏付け取材をすることもなく、くり返し吉田の証言として記事にしていった。それが、朝日の慰安婦キャンペーンのはじまりだった。

一九九二年一月には朝日が朝刊一面トップで〈慰安所　軍関与示す資料〉〈防衛庁図書館に旧日本軍の通達・日誌〉の大見出しと共に記事を掲載した。中央大学教授だった吉見義明の情報提供を受けた。これをきっかけに、慰安婦問題は日韓関係を険悪化させることになる。

韓国側では挺対協を設立した尹貞玉《ユンジョンオク》が、慰安婦問題での先駆的役割を果たした。千田の影響を受け女子挺身隊を慰安婦と混同し、一九九二年には共著『朝鮮人女性がみた「慰安婦問題」』（三一書房）を刊行し、こう書いている。

〈一九四三年十二月、私が梨花女子専門学校一年生のとき、日帝が朝鮮半島の各地で未婚の女

性たちを挺身隊に引っ張ってゆくという恐ろしいことが頻繁に起こるようになった〉

このときすでに北朝鮮の謀略が水面下で行われていたのか。いずれにせよ、慰安婦をめぐる荒唐無稽のストーリーが広がっていく。

「性奴隷」の名付け親

朝日が慰安婦キャンペーンを本格化させた翌九三年二月、弁護士・戸塚悦朗は国連人権委員会に慰安婦問題を持ち込んだ。戸塚は慰安婦を「性奴隷（sex slave）」と呼ぶよう発案した人物だ。以後、国連の報告書などでもこの呼称が採用され、欧米など国際社会に広まった。

慰安婦の多くは貧しい家庭の出身で、いわゆる慰安所で売春をさせられ報酬を得ていたことが、数々の研究によって明らかとなっている。

そもそも欧米などとちがい、日本には奴隷制度はなかった。だが、戦国時代の一五七〇年ごろ、ヨーロッパ列強のポルトガルは日本にキリスト教を広めるためとして入国し、布教活動だけでなく、多くの日本人を奴隷として購入し、南米やアフリカなどに売りさばいていた。

奴隷貿易の売人をやっていたのは、九州の一部大名たちだった。しかし、豊臣秀吉が天下を統一し、奴隷貿易とキリスト教を廃止したことで残虐な奴隷ビジネスは終わりを告げた。

以来、わが国に奴隷制度はなくなり、旧日本軍やその手先が女性を性奴隷にしたなどという事実はない。その呼称は、戸塚悦朗自身が著書で認めているように、思いつきにすぎなかった。だが、奴隷制度の歴史を持つ他国では、そのネーミングが抵抗なく受け入れられ、定着してしまった。戸塚の責任はあまりにも重い。

戸塚の著書では、活動の動機として、一九九一年暮れ、韓国の元慰安婦らが日本政府を相手取って訴訟を起こし、さらに翌年初め、吉見義明によって「日本軍関与を証明する」資料が公表されたのを受け、「この問題も国連に報告するべき時期だと判断した」としている。この公表というのは朝日の慰安婦大キャンペーンを指しており、それに刺激されたわけだ（『日本が知らない戦争責任　日本軍「慰安婦」問題の真の解決へ向けて』現代人文社。一九九三年）。

原告探しに躍起となる反日日本人

戸塚の言う元慰安婦の訴訟をコーディネートしたのは、やはり自称人権派の弁護士・高木健一だった。拓殖大学客員教授の藤岡信勝は、高木についてこう書いている。

〈慰安婦問題を使った反日運動で独創的な点は、相手国の「被害者」を探し出し、原告に仕立て上げて日本国家に対して訴訟を起こさせる、という運動モデルを開発したことである。……被害者がいて、それを支える運動がおこるのではなく、反日運動のため被害者を見つけ出して利用するというところに、この運動モデルの特異性があるのである〉（WiLL二〇一三年九月号）。

高木健一とともに韓国で日本政府を相手にした賠償訴訟の原告となる元慰安婦を募集したのが、弁護士の福島瑞穂だった。週刊新潮二〇一四年七月三日号には、一九九二年八月にソウルで開かれた「アジア連帯会議」に出席したフリージャーナリスト館雅子の証言が載っている。福島と元朝日新聞編集委員の松井やよりが主導し、韓国人スタッフとともに、お揃いの白いチマチョゴリを着た女性四、五人に、悲劇的な体験と日本政府に対する怒りを切々と述べるよう演技指導した。ところが、つづいて台湾人の元慰安婦が登壇し〝日本の兵隊さんは私たちに優しくしてくれました〟などと言い出し、ステージの下に控えていた福島や松井はあわててマイクや照明をオフにさせたという。

福島は、慰安婦問題を踏み台にして名を上げ、社民党の党首にまで上り詰めた。

戸塚や高木、福島らは〈反日日本人〉と呼ばれている。彼らの言動は、まさにそう呼ぶしかないが、そうした行為に走る動機をすぐに理解できる人はどれだけいるだろうか。

ヨーロッパの知識人らに筆者が慰安婦問題のいきさつを説明しても「理解できない」としたのは当然だった。〈反日日本人〉らの心には、荒涼とした心象風景が広がっていると推測される。

ドイツと日本を表面的に比較して、どっちが善いか悪いかを判断するのは独日ステレオタイプそのものであり、意味がない。だが、なぜわが国には〈反日日本人〉がいるのか、という深刻なテーマを扱おうとする場合、ドイツのケースを裏返して考察する方法がある。

前章でこう述べた。

ドイツにみられた三つの社会政治現象は、同根なのかもしれない。

1．ニュルンベルク裁判史観がない
2．スケープゴートが近年までいて、多くのドイツ人は〈善いドイツ人〉として生きてきた
3．〈反独ドイツ人〉も日本のような反日メディアも存在しない

厳然としてある東京裁判史観

通称「ニュルンベルク裁判」につづき、一九四六（昭和二十一）年五月三日から約二年半、日本の戦争指導者らも極東国際軍事裁判、通称「東京裁判」の法廷に立たされた。

前述もしたが、両裁判で導入された三つの罪の容疑（訴因）を再掲する。これは、いまでも国際法のスタンダードとされている。

〈平和に対する罪〉（A）
〈通例の戦争犯罪〉（B）
〈人道に対する罪〉（C）

東京裁判ではアレンジされ、「平和に対する罪」「殺人および殺人共同謀議の罪」「通例の戦争

犯罪および人道に対する罪」の3つとなった。つまり、殺人罪が新たに入れられ、BとCはひとつにされた。もともと、〈人道に対する罪〉(C)は、ドイツが自国民をふくむユダヤ人などを迫害し大虐殺した前例のない国家犯罪ホロコーストを裁くためのものであり、本来の戦争犯罪とはちがうため、これが設けられた。

東京裁判はマッカーサーの指令のもとに行われた。これが非常に重要なポイントだ。

立命館大学名誉教授・北村稔は、東京裁判について〈ナチス・ドイツのとばっちりを食った日本」〉と呼ぶ。北村によると、Aが定められたのは、〈ドイツ敗北後に強制収容所の実態が判明し、ドイツの戦争遂行とユダヤ人虐殺が表裏一体であった事実がもたらした衝撃の結果〉だった。〈ドイツの「侵略戦争」は人種・宗教に基づく大規模な住民虐殺と結びついていた〉のであり、これを目の当たりにした連合国によって〈「侵略戦争は戦争犯罪であり、平和に対する罪を構成する」という前代未聞の綱領が承認された〉のだった(『日中戦争の「不都合な真実」戦争を望んだ中国　望まなかった日本』、PHP研究所。二〇〇八年刊)。

そして、北村は、東京裁判のいきさつを次のように解説する。

〈連合国側が日本の戦争指導者たちをA級戦犯として一網打尽に裁くには、日本の侵略戦争を、ナチス・ドイツ流の計画的な大量の住民虐殺を伴う「邪悪な」侵略戦争として性格づける必要があった。その結果、手っ取り早い手段として、日本軍の南京占領時の「混乱」を、ホロコー

ストに匹敵する大虐殺に格上げすることになり、南京と東京の国際軍事法廷で「南京大虐殺」が演出された〉

東京裁判の判決文では、南京事件の被害者総数を二十万人以上としている（東京裁判ハンドブック編集委員会編『東京裁判ハンドブック』青木書店）。中国共産党はのちに三十万人と主張し、二〇一七年に刊行された村上春樹の『騎士団長殺し』（新潮社）では、四十万人という数字が出てくる。まるでネットオークションで値がつり上がる様を連想させる。もともと大虐殺説がフィクションであり、数字には学術的な根拠などないからだ。

原爆投下は一般市民を大量虐殺したもので、BでありCとも考えられるが、先述のように、連合国側の戦争犯罪はいっさい問われなかった。

日本の保守派論客は〈戦後日本に広まっている歴史観は、東京裁判によって決定づけられた歪んだもので、史実を反映した歴史観ではない〉とする。こう批判されるのが、東京裁判史観だ。

東京裁判の審理のプロセスや判決で提示された日本軍の数かずの戦争犯罪は、それが事実であったかどうかは別にして、日本人および国際社会の歴史観を固めていった。つまり、東京裁判は日本人に戦争の罪責感を植えつける重大な歴史的・政治的イベントだった。

ドイツ人がニュルンベルク裁判をタブーとしたのとは真逆で、日本の特に左派知識人は、東京裁判を絶対視していまに到る。

日米をはじめとする戦争当事国で、次々と新しい史料などが発掘され、東京裁判で示されたことは史実に反するとする新たな学説もたくさん出されている。

だが、日本の左派は、それらを「歴史修正主義だ」として受け入れようとしない。未知の史料が出てくれば、歴史の見方や評価も変わるのが当然だ。それを受容しようとしないのは、彼らが渡部昇一によって名づけられた「敗戦利得者」だからだろう。日本が敗れたことによって、むしろ得をした者たちがいた。メディアでは朝日新聞が筆頭だったし、いわゆる進歩的文化人もそうだった。

たとえば、日本の戦争は侵略戦争であり、南京で大虐殺をしたのも事実だったと主張しつづける。それらの根拠はすでに崩れているが、東京裁判史観にしがみつく者たちは、それがアイデンティティーになっているため、現実が受け入れられないのだ。

東京裁判史観に関しては、小堀桂一郎『さらば、敗戦国史観。』(PHP研究所。一九九二年)が詳しく論じている。

マインド・コントロール計画WGIP

GHQは日本人をマインド・コントロールした。それは、はっきりとした計画に基づいていた。その計画文書は、"War Guilt Information Program"（WGIP）という。日本語には訳しにくい名称だ。

WGIPの英語全文を日本人で最初に入手したのは、作家の江藤淳だった。一九八〇年代に執筆した著書『閉された言語空間』（文藝春秋）の【第二部第五章】で詳述し、そのタイトルをこう大胆に意訳している。

『戦争についての罪悪感を日本人の心に植えつけるための宣伝計画』

この計画の特徴は、3点ある。

1．日本を非軍事化する。
2．日本を民主化する。
3．日本の軍国主義者と一般国民を分ける。

これらは、ナチス・ドイツ敗北後、英米仏ソで分割統治した占領政策の柱である民主化政策、非ナチ化政策に相当するものだ。占領軍がドイツにおいて、ナチスと非ナチスを分けようとし、それがドイツ人のトリックとなったことは第四章で指摘した。

1．と2．については、説明を割愛する。

東京裁判もマインド・コントロールの一環であり、その明白な証拠があげられる。裁かれたのは「侵略戦争」であり指導者らの「戦争責任」だった。この二語は日本の過去をめぐる論議で必ず口の端《は》にのぼる。ドイツでは「侵略戦争」という言葉は一般に使われないことを先述した。日本人に「平和」の反対語を問えば、まずまちがいなく全員が「戦争」と答えるだろう。ドイツでは「平和」という言葉が使われることは日本に比べ非常に少ない。ニュルンベルク裁判が無視されたことと関係するだろう。

日本では侵略戦争の指導者として裁かれた人びとを、東京裁判の訴因にもとづき「A級戦犯」と呼ぶ。俗に、何かの問題が起きてその最大の責任者を批判するときに言う「A級戦犯」はここからきている。ドイツには、もちろん、そういう言葉はない。これだけの例からも、東京裁判がいかに先入観を生み出してきたかがわかる。

早稲田大学教授の有馬哲夫は、二〇二〇年七月、『日本人はなぜ自虐的になったのか　占領とWGIP』（新潮社）を上梓した。アメリカ、イギリス、カナダ、スイスの公文書を徹底的に読み込んで著した力作だ。

一方、WGIPの影響を否定的に論ずる研究者もいる。最近では『ウォー・ギルト・プログラム　GHQ情報教育政策の実像』（法政大学出版局。二〇一八年）を出した名城大学非常勤講師・賀茂道子がその代表と言えるだろう。これについて、有馬はあっさり批判している。

〈賀茂さんは、著書の中で、WGIPの第3段階は実行されておらず、またあくまでも「戦争の有罪性」を知らしめるためのプログラムであり、決して罪悪感をもたせるためのものではない、という説を唱えています。

その説の問題はまず、「ウォー・ギルト」という言葉を勝手に「戦争の有罪性」と訳している点です。そのような解釈は突飛なもので、従来通り、「戦争責任」と訳すべきでしょう。その責任を日本人のみに押しつけようとしたから問題なのです。さらに、彼女が実行されなかった、という第3段階も実際には実施されています。それは一次資料をきちんと読んだうえで、当時のメディアをチェックすれば明らかです

簡単に言えば、賀茂さんの説は「アメリカは日本に民主主義を啓蒙するためにWGIPを実施した」というものです。この説はアメリカのみならず、当時協力したメディアにとっても心地よいものでしょう。

朝日新聞などがこういう説に好意的な評価を与えている理由はよく理解できます。朝日新聞は新聞各社のなかでも図抜けてWGIPに協力的だったのですから〉（デイリー新潮、二〇二〇年七月十六日配信）

WGIPは、日本人にそれとわからないよう極めて巧妙に実行されたマインド・コントロール（心理操作）だった。主な例としては次のようなものがある。

○言論統制・焚書
○連載『太平洋戦争史』
○公職追放
○東京裁判
○『真相はこうだ』『真相箱』
○憲法9条
○平和教育
○プロパガンダ映画

GHQの3S政策

GHQが日本人をマインド・コントロールしたという事実は、いまではかなり知られるようになった。

一般に広まっているのが3S政策だ。陽明学者・哲学者・思想家の安岡正篤《まさひろ》(一八九八〜一九八三年)の著書『運命を創る 人間学講話【新装版】』(プレジデント社。二〇一五年)から、骨子を抜粋すると次のような説明がなされている。

〈(3Sの)第一のSはセックスの解放、第二のSがスクリーン、つまり映画・テレビというものを活用する。それだけでは民族のバイタリティ、活力、活気を発揮することがないから、かえって危ない。そこで精力をスポーツに転ずる。これはうんとはやらせる。スポーツの奨励――これが第三のS〉

戦前期から「ユダヤ人の3S謀略」などと呼ばれ、非難や批判の対象となっていたとの説もある。だが、戦後に連合国軍占領下の日本での諸政策を批判するものとして安岡正篤により一般に広まった。

安岡はこんなことも書き残している。

〈日本人はむしろ喜んで、これに応じ、これに迎合した、あるいは、これに乗じて野心家が輩出してきた。日教組というものがその代表的なものであります〉

〈そのほか悪質な労働組合、それから言論機関の頽廃、こういったものは皆、この政策から生まれたわけであります〉

なぜ、WGIPを否定しようとする勢力がいるのか。その心理については、のちに述べる。

ともあれ、日本は、ドイツとともに、世界史上例のない国際軍事裁判の戦犯国となり、国際社会から日本人全体が戦犯つまり〈悪い日本人〉として非難されたかのようだった。そのなかで、自己保身のため、自分たちは〈善い日本人〉だと強弁する者たちもたくさん出てきた。

ＷＧＩＰのなかで特に問題なのは、「３．日本の軍国主義者と一般国民を分ける」だった。ＧＨＱは、ドイツで占領軍がやった非ナチ化政策と同じことを日本でも実施しようとした。ドイツでヒトラーおよびナチスの〈悪いドイツ人〉と一般国民の〈善いドイツ人〉を分けたのとまったく同じ構図だ。

戦争が終わって間もないころの日本人は、その構図が事実とはかけ離れていることを知っており、すぐには受け入れなかった。ただ、保阪正康は〈軍事・政治指導者と国民を切り離すというのが露骨だが、結果的にはこれが成功したといえるだろう〉（『日本解体「真相箱」に見るアメリカの洗脳工作』扶桑社。二〇〇三年）とする。

進歩的文化人とガラパゴス化した平和主義が結びつき、そうした人が良識派とされた。彼らは〈善い日本人〉の代表格であり、良識派の代表的メディアが朝日だった。英語で言うポリティカル・コレクトネス（政治的公平性、政治的に正しいこと）を盲信する人びととほぼ重なる。

戦後の日本に〈善い日本人〉というネーミングがあったわけではないが、人びとの意識のなかには明らかに存在した。それは主に、ＧＨＱのＷＧＩＰによる壮大なマインド・コントロールなどの結果生まれたと思われる。

第二章で独日ステレオタイプの発信者ら六人を列挙した。彼らは典型的な〈善い日本人〉だ。もちろん、彼らの主観的にだが。日本はだめでドイツは立派だと言うとき、自己はだめな日本人のカテゴリーではなく立派な人間のカテゴリーに属している、と潜在意識下で思っているのだ。

本章で指摘した三人の自称・人権派弁護士、つまり、性奴隷という言葉を世界に普及させた戸塚悦朗、元慰安婦の原告探しをして日本政府相手に裁判を起こさせた高木健一、元慰安婦の演技指導をした福島瑞穂も、信じられないことだが、彼らの主観的には〈善い日本人〉だ。

変節インテリの代表格・宮澤俊義

戦後、マッカーサーが国際法に違反して日本国憲法を押しつけた。その解釈の骨格を作ったのが、「憲法学の権威」とされた東大教授の宮澤俊義《みやざわとしよし》（一八九九〜一九七六年）だった。

以下、憲政史研究家の倉山満著『東大法学部という洗脳　昭和20年8月15日の宮澤俊義』（ビジネス社。二〇一九年）に基づいて記述する。

いまは、宮澤の弟子である芦部信喜《あしべのぶよし》、孫弟子の髙橋和之の教科書が、司法試験、公務員試験、教員採用試験などの憲法問題の元となっている。つまり、日本で最も使われている憲法教科書であり、裁判所も宮澤憲法学の価値観に縛られている。倉山は〈日本人である限り、宮澤の呪いから逃れられない〉とする。

敗戦以前の宮澤について、倉山はこう記す。

〈宮澤は時局を見る目が鋭く、優れた観察眼を持っていた人です〉。そして、宮澤の言説が〈劇的に変わるのは、昭和十二（一九三七）年七月七日の盧溝橋事件に端を発する支那事変が勃発、世情が急速に戦時体制に突入してから〉だという。

〈時局便乗は、戦時中一貫して続きます〉〈戦争末期の昭和十九（一九四四）年二月、東條首相が陸軍大臣のほか、参謀総長も兼務します。元々、戦時下で首相と陸軍大臣の兼務を歓迎する論文を書いていた宮澤は、非常措置として称賛しています〉

〈支那事変から大東亜戦争における宮澤は、「ザ★御用学者」です〉。

つまり、天皇陛下万歳と、軍国主義の旗を振る立場にいた。

そして一九四五年八月十五日の敗戦となる。

〈敗戦直後から宮澤は多忙を極めます。GHQのもと、日本政府が憲法の問題に着手したため、専門家として参画することになったからです〉

新憲法制定までには、紆余曲折があった。日本側の草案をマッカーサーが蹴って、GHQの草案を英文でまとめたのがチャールズ・ケーディスだった。それを条文として整備したのが宮澤俊義だ。そのため、倉山は宮澤を〈現在の主流の憲法学である東大憲法学の〝開祖〟〉と呼ぶ。

宮澤は「八月革命説」を唱えた。昭和二十（一九四五）年八月十五日に革命が起き「国民主権」となったとする説だ。その説を、敗戦翌二十一年の五月一日に公にした。倉山は〈一言で言うと、詭弁《きべん》です〉と切り捨てる。

そして、宮澤は「天皇ロボット説」を打ち出した。倉山はまず証拠として、大学の教科書から次のような引用をしている。

〈天皇の国事行為に対して、内閣の助言と承認を必要とし、天皇は、それに拘束される、とすることは、実際において、天皇を、なんらの実質的な権力をもたず、ただ内閣の指示にしたがって機械的に「めくら判《ママ》」をおすだけのロボット的存在にすることを意味する〉（宮澤俊義著、芦部信喜補訂『全訂　日本国憲法』日本評論社。一九七八年）

天皇を大元帥として絶対視していた戦時中のイデオロギーは、宮澤のなかでどう消化・排泄されたのだろうか。

倉山は、東大憲法学は学問ではなく宗教で、〈しかもカルト宗教〉であるとし、〈日本国憲法はカルト宗教の経典、それを解釈した東大憲法学は教義〉と呼ぶ。したがって、倉山は宮澤をいわゆる護憲派にとっての教祖とも呼ぶ。

〈戦後の憲法学は東大の学説であるばかりでなく、現在の日本政府の憲法解釈となっていいます〉

敗戦後、宮澤がかつて軍国主義を煽ったことへの反省や総括をした跡はない。終戦をはさみ、わが国にはそうした変節インテリが無数にいた。なかでも、宮澤はその後の憲法論議や護憲派に与えた決定的な影響を考えると、最も厚顔無恥で最悪の知識人だったと言える。
戦後の東大法学部を代表する三悪人として、倉山は政治学の丸山眞男と国際法の横田喜三郎を挙げ、宮澤については〈二人とは格が違います〉〈極悪人〉〈戦前戦中を通じて、あらゆる真人間を騙《だま》しきりました〉と評している。

宮澤俊義にルーツを持つ東大憲法学を批判するのは、倉山だけではない。たとえば、東京外大教授の篠田英朗《ひであき》は、国際政治学者としての立場から『憲法学の病』（新潮社。二〇一九年）を著し、〈日本国憲法は、ガラパゴス主義に支配されてきた〉とする。〈憲法が、〝ガラパゴス〟なのではなく、憲法学における通説が〝ガラパゴス〟なのである〉〈日本国憲法は、長年にわたって、日本国内の一部の社会的勢力の権威主義によって毒されてきた〉
倉山満も篠田英朗も憲法学者ではない。だからこそ、宮澤俊義を頂点とする憲法学者ムラを糾弾できる。わが国のドイツ近現代史研究者ムラを、その専門外の人間だから糾弾できるのと同じだ。

〈反日日本人〉の第一号・横田喜三郎

東京裁判は昭和二十一年五月三日から約二年半のあいだ行われた。ＧＨＱのために東京裁判を合法化してやろうという人物が徐々に現れはじめたが、それは戦勝国の人間ではなく日本人だった。

その代表が、東京帝国大学法学部教授で国際法の専門家の横田喜三郎で、裁判の途中、『戦争犯罪論』（有斐閣）という書物を著した。それにはこんな記述がある。

〈こんどの戦争で、日本は極端な侵略的戦争を行い、その戦争中において、また驚くべき暴虐行為を行つた〉

この本は要するに、日本の戦争犯罪人は極悪の輩《やから》なのだから、思う存分に処罰してくださいという横田からのメッセージだった。

関西大学名誉教授だった谷沢永一《たにざわえいいち》（一九二九〜二〇一一年）は、横田喜三郎を称して〈東京裁判を神聖化し、合理化しようと努め、進駐軍に身をすり寄せておもねった反日日本人第一号〉だとした（『反日的日本人の思想 国民を誤導した12人への告発状』PHP研究所）。

なぜ、戦後日本は、このような変節漢とその子分たちによって牛耳られてきたのだろうか。ことは憲法に限らず、広く学界、政界、メディア界などにも蔓延してきた。それは独日ステレオタイプとも深く結びついている。

個人だけでなくメディアなどでも同じことが言える。

ＧＨＱの占領政策に【3．日本の軍国主義者と一般国民を分ける】があった。先述のように、二大紙だった朝日新聞と毎日新聞、NHKなど当時の主要メディアは、戦争や軍国主義を煽っていたのに、戦後、「国民」の側にこっそり入り、〈善い日本人〉として振る舞い、もっぱら〈悪い日本人〉である軍国主義者、日本軍などの過去を糾弾してきた。

いま、日本や日本人を貶める報道をくり返し「反日メディア」と呼ばれる存在が、この〈善い日本人〉になった報道機関と重なるのは偶然ではない。朝日をはじめとする左派メディアが、盛んに独日ステレオタイプを広めてきたのは、自分たちこそ〈善い日本人〉だと思い込みたいからだった。

安倍晋三は〈悪い日本人〉？

戦後日本で〈悪い日本人〉とされてきたのはどのような人たちだろうか。神仏や天皇制をふくむ伝統文化を重視し、ポリティカル・コレクトネスや共産主義、口先だけで世界の現実には目を向けないエセ平和主義などには本能的に大なり小なり抵抗を感じる人びと――と言えるのではないか。

ここで言う〈悪い日本人〉とは、あくまで自称〈善い日本人〉からみてのことだ。

近年の例で言うと、安保法制を強引に成立させた安倍晋三などは〈悪い日本人〉の典型となる。朝日が安倍の天敵となったのには、そうした心理的理由があった。〈善い日本人〉と〈悪い日本人〉の水と油の関係だ。

朝日新聞は、森友学園・加計学園問題・桜を見る会などで安倍打倒キャンペーンを展開してきた。その動機は、善悪二元論による〈善い日本人〉が〈悪い日本人〉をやっつける『水戸黄門』のようなアナクロの勧善懲悪劇と考えれば理解しやすいだろう。

人は善悪で単純に二分されるものではない。〈善い日本人〉と〈悪い日本人〉のどちらにも部分的にあてはまる、あるいは、どちらにもあてはまらない、という人も多い。特に、戦争の過去から遠く離れて生まれ育った若い世代ほど、そういう人が増えているだろう。そうした人ほどマインド・コントロールと縁遠いから、心理学的には正常《ノーマル》と言っていい。最近の各種世論調査で年代別の分析をすると、その傾向がはっきりうかがえる。

戦前を否定する心理メカニズム

戦後の日本は、ＧＨＱによるＷＧＩＰによりマインド・コントロールされてきたことを先に述べた。それは、日本政府を前面に立ててＧＨＱが日本を間接統治するための占領政策の核心だった。

メディア代表格の朝日新聞やＮＨＫ、いわゆる進歩的文化人が、特に強くマインド・コントロールを受けたことは、現象面から明らかだ。旧日本軍や軍国主義に限らず、戦前を全否定して批判する。特に東京裁判で日本の戦前が否定されたことを受けたものだった。東京裁判を絶対視し戦争責任論の原点に置く東京裁判史観という言葉、概念が成立するのはそのためだ。

戦前の全否定に走る勢力には、どんな心理メカニズムが働いているのだろうか。解明のためには、いろいろなアプローチがあるだろう

脳科学によるアプローチ——「正義中毒」を実践する人々

〈他人に「正義の制裁」を加えると、脳の快楽中枢が刺激され、快楽物質であるドーパミンが放出されます。この快楽にはまってしまうと簡単には抜け出せなくなってしまい、罰する対象を常に探し求め、決して人を許せないようになるのです。

こうした状態を、私は正義に溺れてしまった中毒症状、いわば「正義中毒」と呼ぼうと思います。この認知構造は、依存症とほとんど同じだからです〉

脳科学者の中野信子は、二〇二〇年に上梓した『人は、なぜ他人を許せないのか?』(アスコム)で、右のように書いている。清純派とみられていたタレントの不倫や、いわゆるバイトテロをした若者の行為について、自分が不利益を受けたり当事者と関係があったりするわけでもないのに、〈非常に攻撃的な言葉を浴びせ、完膚なきまでに叩きのめさずにはいられなくなってしまう〉一部の社会風潮についての考察だ。

東京裁判史観に立ち戦前を全否定する勢力の脳内でも、「正義」を実践しているのだと思い込みドーパミンが分泌されるのだろうか。

本書第二章で述べた六人の独日ステレオタイプ発信者は、戦後の日本を批判ないし非難し、一方で、事実関係やドイツ人の本音を詳しく知りもしないで根拠なくドイツを称えた。彼らにも、大なり小なり正義中毒の症状がみられるように思う。

中野は述べる。

〈正義中毒者は、常に自らを絶対的な正義と確信できる不正義を飢えた動物のように求めています〉

無意識にせよ東京裁判史観に立ち、戦前を断罪するための「悪行探し」をつづける左派のメディアや知識人は、正義中毒の依存症患者なのかもしれない。

その陰には自己保身がある。満洲事変から終戦に至る十五年間、日本人の戦意を煽る競争をして特に部数を大幅に伸ばしたのは、朝日新聞と毎日新聞だった。当時の読売新聞は関東のローカル紙で影響力は限定されていた。ＮＨＫもラジオで国民を煽った。そうした自らの戦争責任については、ほんのわずか報道しただけで、軍部などを糾弾する。それによって、脳内に快楽物質ドーパミンが分泌され快感を覚えているとすれば、深刻な正義中毒以外のなにものでもない。

ＮＨＫが二〇二〇年に放送した連続テレビ小説『エール』では、ビルマ（現ミャンマー）での戦闘シーンが話題になった。制作者側は、戦後の価値観つまり正義の立場から、戦争の悲惨さを描き平和の尊さをアピールしたつもりなのだろう。だが、このドラマでは、戦時中にＮＨＫが国民の戦意を大いに煽った史実はいっさい描かれなかった。もし、それを描いていれば、かえってＮＨＫへの視聴者の信頼は増したと思われるが、安易な自己保身に走った。

中野は、こういう指摘もしている。

〈正義中毒にかかった人たちは、一見するとそれぞれ独自の理論、独自の正義を持っているように見えます。しかし実際は、自分がターゲットにされることを恐れる気持ちから、多数派に流れている人が多いと言えるでしょう〉

〈集団のルールを守り、前例を踏襲し、集団の上位にいる人の教えや命令に忠実に従う、従順な人が重用される傾向は否めません〉

たとえばこれは、第二章で述べたわが国のドイツ近現代史研究者ムラのムラビトの心理メカニズムではないのか。

〈知性があるからこそ愚かさがあり、愚かさのない知性は存在し得ないという裏表の関係があると言ってもよいでしょう〉

〈日本人は摩擦を恐れるあまり自分の主張を控え、集団の和を乱すことを極力回避する傾向の強い人たちだと感じます。これをあえて自省的に弱点として考える視点で見れば、日本は「優秀な愚か者」の国ということになるでしょう〉

優秀な愚か者とは、ケント・ギルバートの言う"Intellectual Yet Idiot"とおなじだろう。ギルバートは「知的バカ」「知的無能」と和訳している。筆者は「インテリだが大馬鹿者」という言葉がぴったり合うと思う。イデオットというのは、バカを指すさまざまな英単語のなかでも最悪のバカを指すとされるからだ。

中野は戦争について述べる。

〈戦争に行くことが当たり前、名誉なことだった時代に、「私は戦争に行かない」と叫んだ人がどれだけいたでしょうか。良し悪し以前に、大半は集団に同調したわけです〉

〈そのどちらが愚かなのかは視点の置き方によって変わってしまいます。戦争中の集団内から見れば逸脱することが愚かですし、今、平和な世の中で、戦争は悪いことだ、戦前の日本は悪だと考えている人なら、逸脱しない人こそ愚かだと思うでしょう〉

脳科学や心理学の立場からみれば、正邪や善悪は視点の置き方によって変わる。だから、物事を二元論で判断するなということだろう。

中野は、社会心理学でいうステレオタイプの脅威という現象についても語っている。

〈自分の所属している集団が持っている社会的なイメージ（ステレオタイプ）を構成員が意識す

ると、自分自身もそうに違いないと考え、ステレオタイプと同じ方向に変化していく〉

わが国の自称リベラル派は、ここに指摘されたプロセスによって独日ステレオタイプにはまった。もちろん、保守派の一部にも、同様のプロセスによりステレオタイプにとらわれている例がみられる。だが、一般的に言って、左派＝自称リベラルよりはかなり少ないのではないか。

新型コロナ禍ではマスメディアによって「自粛」が正しい行動とされ、それを真に受けた一部市民が極端に走った。「自粛警察」を名乗って、営業をつづけている店舗や施設に抗議の張り紙をしたり、実力行動に出たりした。彼らは主観的には「正義の行い」を実践しただけだが、冷静にみれば異常なあるいは異様な行動とも言える。中野はそれも「正義中毒」と名づけた。

主観的に〝正義の行為〟をしているとき、脳内に快楽物質ドーパミンが分泌されるのは〈反日日本人〉などにもみられる現象だろう。戦前のすべて、特に旧日本軍を全否定する立場に立ち、朝鮮半島など出身の慰安婦は「日本帝国主義」の典型的な被害者であり、それを救済するのは正義であるとの信念だ。その際、「彼女らの多くは貧しい親によって売られた」「朝鮮人によって連れて行かれた者も少なくない」「大金を稼いで親に仕送りをしていたものもいた」などの史実は無視され、〈反日日本人〉の思考（妄想）のなかで慰安婦は「性奴隷」として絶対化され偶像となる。

かくして、慰安婦＝性奴隷＝反日の偶像という虚のイメージが確立される。韓国の反日団体や日本の〈反日日本人〉にとっては、それを国際社会に広め日本の戦前を糾弾することが崇高な使命であり正義となる。すべては、脳内に分泌される快楽物質ドーパミンのなせるわざなのだと言える。

民俗学によるアプローチ――慰安婦問題は「ケガレ」だった

民俗学者で作家の畑中章宏による考察は、別の角度から解明するヒントを与えてくれる。

畑中は、「自粛警察」についてこう述べる。

〈一般に、自粛警察の振る舞いは、未知のウイルスに対する恐怖感や、誤った正義感がもたらすものだと考えられている。しかし民俗学の見地から考察すると、ウイルスを暴力的なまでに忌避する感情と行為の背景には、ウイルスそのものや感染者を、あるいは予防しようとしない人々までをも、一種の「ケガレ（穢れ）」として捉える観念が働いている、と言えるのではないだろうか〉

〈ケガレとは日本の民俗における禁忌（タブー）のひとつだ。科学的根拠がなく、今では倫理的にも支持されない〉〈このケガレを避けようとする強迫的な観念は、ウイルス禍のさなかに、様々な形で常軌を逸する行動を生み出してきたのだ〉（with news 二〇二〇年七月十一日配信）

畑中はケガレを浄化する行為としてミソギをあげる。民俗学の知見を用いれば、戦前の全否定に走る勢力は、戦前をケガレとし〈ケガレを避けようとする強迫的な観念〉があるのではないか。

典型例が慰安婦問題だった。朝日新聞は、長年、詐話師・吉田清治の作り話の裏付け取材をすることもなく報道しつづけた。そこには、東京裁判で断罪された旧日本軍というケガレを全否定する強迫的な観念が作用し、悪の日本軍は女性を強制連行していたにちがいないという〈推定有罪〉の心理が働いていたのではないか。そしてその「事実」を伝えることが使命であり、ミソギであると。

それは〈常軌を逸する行動〉であり、朝日新聞は一度「誤報だった」と公式に認めながら、その過ちを英語など諸外国語によって国際社会に広めようとする態度はまったくない。

畑中は〈古代から近世の日本には、目に見えない恐怖を「ケガレ」とみなして忌避する行動があった。しかし、「ケガレ」につながる差別意識が、現代社会でもなぜ生まれてしまうのか〉と問いかける。

朝日新聞をはじめとする戦前の全否定に走る勢力にとって、慰安婦問題はケガレ以外の何ものでもなかった、だから、いまに至ってもこの勢力は、国際社会に朝日が「誤報」を伝えない姿勢を支持、擁護している。

自己愛性パーソナリティー障害――「反日」が社是の朝日の根源

戦後日本の左派のオピニオンリーダーは、まちがいなく朝日新聞だった。したがって、朝日の〝症状〟を診れば、他の左派のメディア、知識人などの病理も指摘できるはずだ。

わが国が国際社会から非難される戦時中の出来事の多くも朝日の報道に端を発する。そうした朝日を「自虐的だ」とする見方がある。朝日は日本のメディアでありながら祖国と同胞を貶め傷つけるから、一見、そういう風に思える。

だが、その見方では、ことの本質を見誤るのではないか。

朝日の言動を、筆者は以前から、マゾヒズムとしての自傷行為、自虐行為ではなく、「自分たちは侵略戦争や戦争犯罪をやった〈悪い日本人〉ではない。やつらとはちがう〈善い日本人〉だ」と保身に走る自己愛によるものではないかと考えてきた。

仮説だが、日本には戦後ドイツにおける〈悪いドイツ人〉としての「ヒトラーとナチス」ほどには〝便利な〟スケープゴートがないため、朝日などは、自分たちの仲間以外の「日本と日本人」をスケープゴートにしようとするようになったのではないか。俗な表現をすれば、朝日はこれまでM（マゾ）と理解されてきたがじっさいはS（サド）ではないかということだ。

東京裁判で日本という国そのものが被告席に立たされ、日本人全体が〈悪い日本人〉として糾弾されたかのようだったためだ。

朝日の場合は、自己愛がふくれあがり、対日本、対日本人との関係でいちじるしく摩擦を起こしている。「偏りが著しくその結果として環境と軋轢《あつれき》を生むときにパーソナリティー障害という」と精神医学、心理学では定義する。

つまり、組織としての朝日には自己愛性パーソナリティー障害の人びとにみられる傾向が強くあると言えるのではないか。その自己愛が肥大化し「反軍国主義」「反戦前」にとどまらず、ついには「反日」までもが社是のようになり、それが今日までつづいていると思える。

筆者は、現役の精神科医で作家でもある春日武彦の東京の自宅を訪れた。

「朝日の言動は、自虐ではなく自己愛からなのではないか」という筆者の仮説を話すと、「たしかに自虐的なのではなく、われわれの感覚と相容れない朝日独特の美学に酔うという非常におかしな形になっている」と答えた。「独特の美学」とは独善的な自己愛と言えるだろう。

春日は、自己愛性パーソナリティー障害の特徴として、次のようなポイントをあげた。

・自分を尊重することだけが大事、他者との関係性が非常に歪んでいる。
・他人を貶め相対的に優位に立とうとする。
・嘘やアンフェアな方策で世の中そのものを変えてしまおうとする。

・ときには自暴自棄や逆恨みの行動に走る。

――これらはすべて朝日の言動にみられるように思う。

また、〈反日日本人〉とは言えないまでも、独日ステレオタイプを発信する知識人も、自己愛性パーソナリティー障害の傾向があるのではないか。

精神分析によるアプローチ――「トカゲの頭切り」で再生する朝日

戦後のドイツは半世紀以上も、ヒトラーやナチスを〈悪いドイツ人〉としてスケープゴートにし、一般国民は〈善いドイツ人〉になりすましてきた（DEトリック）。そして言い逃れができないホロコースト〈人道に対する罪〉（C）だけを議論し、〈平和に対する罪〉（A）や〈通例の戦争犯罪〉（B）については事実上、無視してきた（ABCトリック）。

ドイツにニュルンベルク裁判史観がないのは、そのためだった。

一方、戦後日本は、ドイツのような〝便利な〟スケープゴートがいなかった。強いて言えば、昭和天皇と軍部がスケープゴートになった。だが、軍部というのは、便利だが定義のむずかしい言葉だった。その意味では、ナチスと同じだ。天皇は国家アイデンティティーに深く関わる存在であり、ごく一部の極左日本人をのぞき、簡単にスケープゴートとすることはなかった。

いずれにせよ、戦前・戦中の日本人のほとんどには軍国主義に染まっていた記憶があり、ドイツのようには割り切れなかった。

それで日本の左派はどうしたか。典型的だったのが左派のオピニオンリーダー朝日新聞ではないか。

筆者は心理学者で歴史精神分析の泰斗《たいと》である岸田秀《しゅう》の自宅を訪れ、自分の仮説を詳しく話した。

「朝日などは日本と日本人をスケープゴートとし、自分たちは〈善い日本人〉として正義ぶっているのでは」と。

岸田はこう指摘した。

「朝日は、（自らの）戦争責任というその観念を抑圧し無意識に追いやった。進歩的文化人もおなじだった。その責任を軍部に押しつけて自分たちは正義であると。戦前をすべて否認することによって現在の自分は清らかになる、と彼らは主観的には思うわけです。その結果、誤報や捏造、その擁護などさまざまな症状が出ているのではないでしょうか」

岸田秀に、精神分析のキーワードのひとつである「抑圧」について詳しく解説してもらった。

「個人の神経症者が、都合の悪い過去の経験の記憶を抑圧し、意識的にはそのことについて何も覚えていないのに、抑圧されたその経験の無意識的記憶が症状をひき起こすことがあります」

抑圧や無意識という言葉をフロイトは盛んに使っている。人間には意識と無意識があり、ときに意識と無意識（潜在意識）の分裂ないし断絶が起こる。

「分裂ないし断絶というのは、意識のなかで考えていることと無意識のなかに抑圧された観念が矛盾していることです。その断絶がひどいケースが統合失調症となるわけです」

「抑圧とは、自分にとって都合の悪い不愉快な観念の存在を『否認』するわけです。自分はかつて悪かったと認識していて、それはよくないと思っているというのではなく、そんなことをしたことはない、と俺の知らないことだとするのが抑圧です」

否認というのは、日常的に使われる言葉で、何かを事実として認めないことをいう。

朝日は、敗戦後、会社のトップに責任を取らせる〝トカゲの頭切り〟をして自らの戦争責任という都合の悪い過去の経験を否認し、無意識の領域に抑圧した。体のどこを切り取っても再生するというプラナリアのようなものだ。

だが、「集団の成員のほとんどが遠い昔のその経験のことなど意識的には露知らなくても、『否認』されたその経験の無意識的記憶は、いわば背後から集団全体の行動に影響を与えずにはおかない」と岸田は指摘する。

朝日が誤報や捏造を何度も何度もくり返し、進歩的文化人などはそれを批判するどころか擁護してきた動機・原因は、岸田学説で考えればきわめて明快だ。これこそが、朝日イズムの本質と言えるだろう。

それが朝日新聞の病理であり、朝日シンパの知識人にも伝播した。独日ステレオタイプの背景には、戦後日本のこのような病理と殺伐とした心象風景がみえる。

（本章で述べたWGIPや心理学、精神医学、精神分析によるアプローチの詳細については、拙著『「反日」という病　GHQ・メディアによる日本人洗脳《マインド・コントロール》を解く』幻冬舎＝二〇一九年の第二回アパ日本再興大賞【賞金一千万円】ノミネート三作品のひとつ＝を参照されたい）

終章

国際情報戦に勝利するために

情緒的な「独日ステレオタイプ」発信者

科学的に考察する際、定性的分析と定量的分析が基本となる。ある物事がどういう性質のものかを知るのが定性的分析であり、どういう数量かを知るのが定量的分析だ。二つの物事ないし事象を比べるときは、この性質と数量を探ることからはじまる。

だが、ドイツと日本の戦争の実態ないしその罪責や戦後の清算を論ずるとき、こうした科学的な分析をしているケースは皆無に近い。特に、【第二章】であげた独日ステレオタイプの六人の発信者たちは、信じられないことに、根拠もなく情緒的《エモーショナル》な印象論で非科学的に、国の根本にかかわる重大な問題を語っている。

【第四章】の冒頭でも、ドイツの過去の克服がいかに空疎か具体的に数量で指摘した。ユダヤ人迫害に対するドイツ外相の警告、連邦軍内の極右分子、極右・ネオナチによる排外主義のデータだ。対して、日本がいかに戦争の過去を克服し軍国主義などと無縁か、これも数量をあげた。ドイツのメディアは無知なのか意図的なのか、ドイツの戦争と日本の戦争を同列に置こうとする。しかし、両者はあまりにもかけ離れていた。

ドイツの対ソ連戦争

ドイツは、ヨーロッパ大陸のほぼ全土から、北はスカンジナビア半島、南は北アフリカ、さらに東部ではソ連領に侵攻して戦った。このうち、最も規模が大きく残虐だった独ソ戦争を取り上げる。評価の高い大木毅著『独ソ戦　絶滅戦争の惨禍』(岩波新書。二〇一九年)は、この戦争についてデータをあげて論じている。

まず、この著作から定性的分析についての個所をとりあげる。

〈ヒトラーにとって、世界観戦争とは「みな殺しの闘争」、すなわち、絶滅戦争にほかならなかった。加えて、ヒトラーの認識は、ナチスの高官たちだけでなく、濃淡の差こそあれ、国防軍の将官たちもひとしく共有するものであった〉

近代国家が軍事的な勝利だけでなく、このように敵とみなした者の皆殺し戦争を企図し、また、実行に移した例が他にあるだろうか。それ以上に、右の大木の記述で注目すべきなのは、ヒトラーだけでなく絶滅戦争を遂行するという認識は、ナチス高官、さらに非ナチ組織の正規軍である国防軍将官たちも共有していたという事実だ。

本書第二章の【図表1「戦前の二種類のドイツ人」のイメージ】で示したように、ドイツでは戦後半世紀以上も、国防軍将兵は〈善いドイツ人〉だったとされてきた（DEトリック）。だが、大木によれば、国防軍の将軍たち濃淡の差はあれ「皆殺しの戦争」をすることを認識していた。〈独ソともに、互いを妥協の余地のない、滅ぼされるべき敵とみなすイデオロギーを戦争遂行の根幹に据え、それがために残酷な闘争を徹底して遂行した点に、この戦争の本質がある〉

そして独ソ戦では、〈戦闘のみならず、ジェノサイド、収奪、捕虜虐殺が繰り広げられたのである。人類史上最大の惨戦といっても過言ではあるまい〉と大木は述べる。ジェノサイドとは、ある人種・民族を計画的に絶滅させようとすることだ。

ドイツ側の戦争目的をより具体的に書くと、ヒトラーは次のように規定した。人種的に優れたゲルマン民族が「劣等人種《ウンターメンシュ》」であるスラヴ人を殺害または奴隷化するための戦争であり、ナチズムとユダヤ的ボリシェヴィズムとの闘争だ――と。ユダヤ的ボリシェヴィズムは、この場合、ユダヤ人主導の共産主義だ。

ドイツ国防軍の脱走兵

二〇二〇年九月に刊行された秋田大学名誉教授・對馬達雄著『ヒトラーの脱走兵――裏切り

か抵抗か、ドイツ最後のタブー』（中公新書）は、ドイツ国防軍の残虐な体質を描いている。

それによると、国防軍には第二次大戦の開戦から終戦までの四年八カ月に、約三十万人もの脱走兵が出た。捕まった約十三万人のうち死刑判決が約三万五千人。処刑者数は二万二千〜二万四千人いた。生きのびたのは約四千人に過ぎなかったという。

アメリカ軍の場合、脱走兵は二万千人、死刑判決は百六十二人、処刑は一人で大きな差がある。

軍事裁判による処刑者数も、一般犯罪も含めた処刑者数は、ドイツでは陸軍だけで一万九千六百人だった。アメリカは百四十六人（うち殺人・強姦・強盗殺人が百四十五人）、イギリスは四十人（殺人三十六人、武器を持った反抗三人）で、ここでも大差がある。

このように、ドイツ軍においては軍紀に背いたり反抗したりする兵士が非常に多かった。しかも、その追及と処罰は他国に比べて極めて苛烈であったことがわかる。

それだけではない。戦後ドイツでは脱走兵は「反ナチ」として英雄視されたのではなく、裏切り者、犯罪者とみなされ、社会からのけ者にされて、政府による補償もなく年金も支給されなかったという。逆に言えば、戦後のドイツ社会には、かつてのヒトラーの「忠実な部下たち」だった者が、きわめて多数そのまま生き残っていたのだ。

戦後捏造されたドイツ国防軍の「クリーン神話」の陰には、こうした現実があった。

日本の対中戦争&大東亜(太平洋)戦争

日本は、中国大陸での宣戦布告なき戦争にはじまり、真珠湾攻撃以降は、アジア太平洋地域でも広範囲にわたって戦争を遂行した。歴史認識の違いによって先の大戦の呼称は、大東亜戦争、十五年戦争、アジア太平洋戦争などとされている。

ドイツの戦争、特に独ソ戦と比べて、日本の中国大陸での戦いで際立つのは、日本側が事態の早期収拾を狙っていた事実だ。それを、ゾルゲ事件で知られるドイツ人のリヒャルト・ゾルゲや、朝日新聞記者から近衛内閣嘱託となった尾崎秀実《ほつみ》らソ連のスパイが、和平への妨害工作をしたのはよく知られている。彼らは共産主義を信奉し、日中の戦いが泥沼化すればソ連の利益になると信じて工作活動をしていて発覚し、死刑となった。尾崎は生粋の売国奴だった。

日本の中国大陸侵攻はドイツの対ソ戦ほど明確な目的がなかった。目的もなく戦争をつづけた点は戦後、議論や悔悟の対象となった。

一方、日本政府は、一九四一年十二月八日の真珠湾攻撃に際し、連合国との戦争の大義として二つを掲げた。

・日本の自存自衛
・アジアの植民地支配からの解放

これに対し批判的な見方もある(作家/文筆家/評論家・古谷経衡《つねひら》 二〇二〇年八月十五日ネット配信)。

〈南方地帯には、大規模で良質な油田(パレンバン、バリクパパン=蘭印=現インドネシア)があり、さらに航空機や戦車の生産に欠かせないゴムやボーキサイト等の天然資源があった。「アジア解放」の真の目的とは、これら資源地帯の制圧であり、これらの地帯から算出される重要資源を日本にピストン輸送して生産力を増強し、対米持久戦に備える(——実際にはアメリカ軍潜水艦等の通商破壊によって瓦解した)という、実際には日本の利益だけを考えた作戦行動であった〉

〈戦後のいわゆる「東京裁判史観」を否定する右派は、長年この「大東亜戦争はアジア解放のための聖戦であった」説を用いたが、これを一般大衆に書籍として広めたのは漫画家の小林よしのり氏による『戦争論』(1998年)がその端緒であることは言うまでもない〉

しかし、この見方には反論の余地がある。日本政府はすでに一九一九年のパリ講和会議で人種差別撤廃を国際連盟規約に盛り込むことを提案している。このときは米英豪の反発で盛り込まれなかった。人種差別撤廃を理念とする植民地解放の大義はその延長線上にあった。

マッカーサー、フーバーたちの「日本侵略戦争」否定論

東京裁判を主導したマッカーサーは、一九五一（昭和二十六）年五月三日、アメリカ上院軍事外交合同委員会で、次のような重要発言をした。これは、虚偽の証言をすれば偽証罪に問われる場での公式発言だ。

〈日本は絹産業以外には、固有の産物はほとんど何も無いのです。彼らは綿がない、羊毛がない、石油の産出がない、錫《すず》がない、ゴムがない。その他実に多くの原料が欠如している。そしてそれら一切のものがアジアの海域には存在していたのです。

もしこれらの原料の供給を断ち切られたら、一千万から一千二百万の失業者が発生するであろうことを彼らは恐れていました。

したがって、彼ら（日本国民）が戦争に突入した目的は、主にセキュリティ上の理由から、余儀なくされたものだった（Their [Japanese people's] purpose, therefore, in going to war was largely dictated by security）〉

セキュリティは、一般に「安全保障」「防衛」と訳される。マッカーサーは、その前段で、戦争に突入する前の日本の置かれていた状況について具体的に説明していた。

マッカーサーが議会証言で意図したことを素直に解釈すれば、「あの戦争は、東京裁判で裁

かれたような侵略戦争ではなく、日本の安全を保障するための自存自衛の戦争だった」という主旨になるだろう。

当時の米ニューヨーク・タイムズがマッカーサー発言を報じたが、日本のマスメディアはこのニュースを一切報道しなかった。彼らはアメリカでその記事が出ていることを知らなかったわけではない。朝日新聞の縮刷版を見れば、マッカーサーが証言したことについての記事はきちんと出ている。だが、朝日をふくめ日本のメディアは、マッカーサーが〈日本は自衛のために戦った〉と証言した部分を省いて報道した。

あえて善意に解釈すれば、当時はまだ占領軍がいて「その部分は省け」と命令された可能性はある。検閲を恐れ、自粛報道したかもしれない。その翌年にサンフランシスコ平和条約が発効し、日本は主権を回復している。マスメディアはその時点で、「実はマッカーサーはこんなことを証言していた」と報道していいはずだった。

しかし、管見の限り、日本が独立を回復して以降今日まで、新聞や地上波のテレビがマッカーサー証言を取り上げたケースはない。それどころか、第二章でＮＨＫのドラマ「東京裁判」の再放送について述べたように、多くのマスメディアが東京裁判の判決を受け入れ、「日本は侵略国だった」という見方から逃れることはない。これこそが東京裁判史観であり、ＧＨＱによるマインド・コントロールの結果だと筆者は考える。

戦勝国側のイギリス人ジャーナリスト、ストークスもこう言い切っている。

〈日本は、侵略戦争を戦ったのではない。アジアを侵略していたのは白人列強諸国だった。日本は、自衛のために軍事的対応を余儀なくされてきたのだ。こうした日本の国防に対する姿勢は、天地開闢《かいびゃく》以来ずっと今日まで一貫している。マッカーサーの上院軍事外交合同委員会での発言は、この点、極めて正鵠《せいこく》を射たものであると、言わざるを得ない。マッカーサーも、最後には真実を告白した〉（『戦争犯罪国はアメリカだった！』ハート出版。二〇一六年）

日本の戦争は自衛戦争であり、「事実上の戦争」を仕掛けたのはフランクリン・ルーズベルト米政権側だったという主旨のことは、アメリカの元大統領ハーバート・フーバー（一八七四〜一九六四年）も、大著『裏切られた自由』（草思社）のなかでつづっている。一九四六（昭和二十一）年五月に来日し、マッカーサーと三日間にわたって対談しそのことを確認したとされる。その際、フーバーは、ルーズベルトをくり返し「狂人《マッドマン》」と呼んだという（『日米戦争を起こしたのは誰か』勉誠出版。二〇一六年）。

定量的分析——独ソ戦と日中戦の死者推計

次に、定量的分析について述べる。第二次世界大戦は規模があまりにも大きかったため、文献によって各国の死者数などに大きな食い違いがある。大木毅は著書でドイツとソ連の推計死者数などを記述しているが、出典は明記されていない。

ここでは、【図表4　第二次世界大戦の4か国の死者数】をあげておく。その一覧は、比較的信頼に足ると筆者が判断したウィキペディア日本語版と、筆者がベルリン郊外のドイツ＝ロシア博物館で聞いた推計を参考にして作成し、千人未満は切り捨てた。

「軍人などの死者数」は、戦死のほか戦傷死、戦病死、行方不明、捕虜もふくむ。また、中国大陸では内戦が展開されており、表の数字は必ずしも日本軍との戦闘による死者数とは限らない。加えて、中国人はプロパガンダを目的に被害を誇大にして公表する傾向がある。

この図表をみると、ソ連の民間人の死者数は中国大陸でのそれの二倍程度だ。だが、それぞれの総人口比を考慮すると、独ソ戦における軍人と民間人の死者の割合がともに極めて高いことが注目される。

なお、大木はソ連について次のような注釈をつけている。

〈死者の総数は、冷戦時代には、国力低下のイメージを与えてはならないとの配慮から、公式の数字として二〇〇〇万人とされていた。しかし、ソ連が崩壊し、より正確な統計が取られるようになってから上方修正され、現在では二七〇〇万人が失われたとされている〉

独ソ戦を専門に扱うドイツ＝ロシア博物館は、それよりもかなり大きい数字をあげている。

図表4　第二次世界大戦の4か国の死者数

	1939年の総人口	軍人などの死者	民間人の死者
ドイツ	6985万人	430～550万人	150～350万人
ソ連	1億6852万人	870～1385万人	2500～3000万人
日本	7138万人	212万人	50～100万人
中国	5億1756万人	300～400万人	700～1600万人

※ウィキペディアおよびドイツ＝ロシア博物館の推計を参考に作成
（1000人以下は切り捨て）

東京裁判で検察側は、いわゆる「田中上奏文」と呼ばれる中国作成の偽書に基づき、日本が民族的優越感から世界支配を共同謀議したとするシナリオを描いた。ドイツではその印象がいまもつづいているようだ。

だが、ドイツと日本の戦争を、もっとも被害が大きかった独ソ戦と日中戦に絞ってあえて比べたとき、次のように言えるのではないか。

定性的には、ドイツはソ連地域でのユダヤ人、スラヴ人の皆殺しを狙った戦争を遂行し、その残虐さ非人道性は無類のものだった。

日本の中国大陸での戦争は、宣戦布告もなく、なし崩しに拡大、泥沼化したものであり、ドイツのような明確な戦争目的つまり「皆殺し」のようなものがあったわけではなかった。それが、戦後、目的もなく戦闘をしたことが批判されたのは当然だが、残虐さや非人道性では、ドイツとはまったく異なるものだったのも事実だ。

特に太平洋地域での戦争は、マッカーサーも公式に証言したように、一定の正当性があり、東京裁判史観から一歩も抜け出すことなく一方的に断罪するべきものでないのは明らかだろう。

定量的にも、大木は日本の戦争と比べ〈独ソ両国、なかんずくソ連の損害は桁がちがう〉としている。

独ソ戦が史上最大、最悪の戦争と言われるのは、こうした分析からも理解できる。ニュルンベルク裁判ではその事実が裁かれたが、ドイツはそれをタブーとし先述のようにニュルンベルク裁判史観なるものがなかった。

第二次世界大戦勃発八十年に当たる二〇一九年九月、EU（ヨーロッパ連合）のヨーロッパ議会は、「ヨーロッパの未来に向けた重要なヨーロッパの記憶」と題した決議を可決した。そのなかで、ソ連は戦勝国とされたが大戦をはじめた「侵略国家」ではないか。そのソ連を「正義」の側に置いたニュルンベルク裁判は間違いだった――と事実上、戦勝国史観を修正した。

これこそ、重大な歴史見直し（リビジョニズム）ではないか。世界ではこうした潮流が生まれている。わが国のマスメディアは、この大ニュースについてきちんと報道しなかった。日本の左派は、東京裁判史観を根本から問い直し、ドイツの現実も再認識する必要があるだろう。

岩波書店の皮肉

岩波書店は、日本の戦争を絶対悪視する東京裁判史観に立って、戦後、経営的に隆盛した。いわゆる「戦争責任ビジネス」だ。しかし、大木著『独ソ戦』は、ドイツの戦争が日本の戦争とは比べられないほど残虐非道だった事実を明らかにする。岩波書店の読者は左派系が多いとみられるが、これを読んで、日本の戦争との決定的なちがいを認識した人もいるだろう。

それが、この書が売れ行きも良く高い評価を得た一因ではないか。だとすれば、岩波書店にとっては皮肉な結果となったとも言えるだろう。大木の著書は、「新書大賞2020」（中央公論新社主催）で大賞に選ばれた。


ともあれ、戦後の長い期間、ドイツが戦争の過去を忘れ、ホロコーストに集中して議論したりユダヤ人に限って補償したりしてきたことは、すでにふれた。

それでも戦争の実相を正面から展示している、ドイツではきわめて例外的な公的施設がドイツ＝ロシア博物館だ。筆者がここを取材に訪れたのは一九九八年九月だった。ナチス・ドイツの過去を語るとき、特に、日本の戦争の過去とあえて比べるとき、独ソ戦がキーになると思ったからだ。わが国の知識人の多くが独ソ戦に関心を寄せるようになるより二十年以上前となる。

一九四五年五月八日、ドイツ国防軍元帥カイテルが、いまは博物館の建物で降伏文書に署名した。展示のテーマは独ソ戦争で、署名したときの室内も再現して保存されている。ドイツ再統一後、史料はロシア側も多数提供したが、ドイツ政府が百％出資する一種の財団によって運営されている。

ペーター・ヤーン館長は、奇しくも独ソ戦争のはじまった一九四一年の生まれだった。

「一つの戦争について、かつての敵国同士が一緒になって展示した博物館は、世界でもただひとつでしょう。双方の歴史認識がまるでちがい、展示内容で合意するのはきわめて難しかったんですが」

ヒトラーの軍隊の侵略コースが、卓上の地形図によってひと目でわかる。館長は胸を張っていった。「訪問者は参謀将校のように俯瞰できます」。

ヒトラーが一九四一年に宣言したように、ドイツの対ソ戦争は、領土獲得などだけではなく、ナチズムでいう「劣等民族」ユダヤ人やスラヴ人の皆殺しを目的とするものだった。ソ連のユダヤ系住民二百万人（推計）が虐殺されたが、それは犠牲のほんの一部にすぎない。

ヤーン館長は言う。

「二千五百万人から三千万人ものソ連市民が死にました。一年以内に、二百万人もの戦争捕虜を飢えさせて殺すということまで行われました」

戦争が長引くと皆殺し政策が変更される。ソ連から捕虜の兵士六十三万人、民間人二百八十万人がドイツ本国へ送り込まれ、強制労働につかされた。

「ロンドン憲章」の第六条で規定された戦争犯罪の三カテゴリーをヤーン館長に示し説明すると、こう言った。

「独ソ戦は、単なる侵略戦争や戦争犯罪というだけでなく、人道に対する罪でもあります。戦争犯罪の三つのカテゴリーＡＢＣのどれかひとつでは説明できないものでした」

無視された博物館

独ソ戦争は、ＡＢＣすべてが最悪の形で犯されたものだった。ドイツ社会は、Ｃの中心であるホロコーストには意識を集中させてきた。この博物館の展示は、アウシュヴィッツなど絶滅収容所ではなく、戦地でのユダヤ人集団射殺というホロコーストのもうひとつの典型をくっきりと描き出している。「国防軍の犯罪」展やゴールドハーゲンの著作『ヒトラーの自発的死刑執行人』で告発された暗部そのものだった。

さぞかし注目を集めてきたのだろうと思われる。だが、館長の答えはまったくちがった。

「一九九五年五月十日にこの博物館をオープンしたとき、政府からは内務省の非常に低いポストの人が来ただけです。以来、ここには首相も大臣も次官もだれも来たことはありません。ドイツやロシアのメディアにも、ほとんど無視されています。年にひとりかふたりのジャーナリストが取材していく程度です」

ドイツ人は、やはり戦争の過去には興味を持たないのだろうか。ニュルンベルク裁判史観がないことを、ここでも物語っている。先述のように、シュピーゲル誌のエルテル編集者はドイツ＝ロシア博物館の存在さえ知らなかった。

その後、ふたつの国家トリックが崩れ、ドイツ＝ロシア博物館への関心も高まったのだろうか。自分たちの非を容易には認めないドイツの国民性を考えると、いまでも独ソ戦の悲劇は人びとの関心の外にあるのかもしれない。

アジア太平洋地域での日本評価

大東亜戦争（太平洋戦争）に関し、東京裁判では〈非占領地のアジア諸国が被害者で、そこから野蛮な暴力的手段を以て利益を得ていた日本は全国民が専ら加害者の立場にあった〉と断罪された（小堀桂一郎『さらば、敗戦国史観。』）。

では、日本による戦争の舞台となったアジア各国では、あの戦争や旧日本軍がどう受け止められているだろうか。東京裁判判決で示されたのは戦勝国の一方的な見方であり、実際のところが知りたいという日本人は筆者の周りにも多い。

井上和彦著『親日を巡る旅　世界で見つけた「日本よ、ありがとう」』（小学館）には、〈大東亜戦争における日本の戦いを賞賛し、とりわけ欧米列強諸国の植民地となっていた国々からは感謝すらされている〉実態が、詳しい現地取材と豊富な写真によって報告されている。

〈大東亜戦争の大激戦地であったミャンマー、かつてのビルマの独立は日本軍の支援によるものだった。こうした歴史的連携からミャンマーの人々の対日感情はすこぶるよく、日本軍将兵

の墓地や慰霊碑が手厚く守られており、さらに日本の軍歌がいまでもミャンマー軍のマーチとして使われている〉
〈大東亜戦争最大の激戦地となったフィリピンでは、この地で生まれた神風特攻隊が称えられ立派な慰霊碑が建立されている。さらに、かのマニラ軍事裁判で処刑された山下奉文大将と本間雅晴中将の最期の地が地元の人々によってしっかりと守り続けられており、このことに驚嘆と感動を覚えぬ日本人はいないだろう〉

その他、井上の訪問地はパプアニューギニア、パラオなど多数に上る。この本には触れられていないが、イギリスの植民地となって苛斂誅求《かれんちゆうきゆう》の目に遭ったマレーシアなどでもミャンマーとまったく同じで、祖国解放に貢献した旧日本軍に感謝する声は大きい。

戦時中、日本はマスメディアに煽られ軍部に引っ張られた全体主義国家であり、戦場の一部では残虐行為があった。しかし、日本は、ニュルンベルク裁判を無視したドイツとちがい、議論を重ねながらもそうした負の過去に向き合ってきたのも事実だ。朝日新聞、毎日新聞、NHKなどメディアの戦争責任は、正面から問われないまま現在に至るが。

井上和彦の著作は、決してアジアが反日的な歴史認識だけではないことを示す貴重なレポートと言えるだろう。日本軍によって戦火に見舞われた地でさえ、現代において、日本の戦いぶりを賞賛し感謝さえしている。欧米列強による苛斂誅求の日々から解放してくれたからだろう。

その事実は、これまでほとんどわが国に伝えられていなかった。

多くの日本人には、そのアジアの現実が信じられないようだ。ＧＨＱや朝日新聞、日教組などによってマインド・コントロールされ自虐史観を刷り込まれてきたからに他ならない。言葉を変えれば、東京裁判史観の呪縛と言えるだろう。

筆者は、ニューデリー特派員をしていたとき、南アジア（インド亜大陸）八か国を一人でカバーし飛び回っていた。いずれの国も親日的で温かく接してくれた。経済発展した日本をお手本として絶賛する人も少なくなかった。

日本軍が侵攻した東南アジア各国にもよく行ったが、大衆は親日的だった。反日を叫ぶのはごく一部の団体と政治家だけだ。わが国の反日メディアはその部分を針小棒大に取り上げ、日本人が抱くアジア像を歪めてきた。

東大東洋文化研究所教授の園田茂《しげ》人《と》は、二〇二〇年九月、『アジアの国民感情　データが明かす人々の対外認識』（中公新書）を上梓した。「海外の日本に対する評価」「日系企業への就職希望の有無」「日本への留学希望の有無」の三つを日本の魅力を測定する尺度としたデータをあげている。対象は、韓国、中国、台湾、香港、ベトナム、タイ、フィリピン、マレーシア、シンガポール、インドネシアの十か国・地域で、二〇〇八～一八年の調査による。

そのグラフをみると、親日で知られる台湾に限らず、東南アジア各国での評価はかなり高い。

園田は〈韓国と中国は、日本に厳しい評価をしているものの、それ以外の地域では肯定的な回答が多く見られます〉とし〈アジア域内で日本の国としての魅力は、相当に高く評価されているといってよいでしょう〉と結論づける。

アジア太平洋地域に限らず世界で反日的なのは、いわゆる特定アジア三か国つまり中国、韓国、北朝鮮だけだろう。わが国の左派メディアは「アジア諸国からの反発は必至」「海外から批判されている」などという常套句を使う。それは特定アジア三か国に限ったことで、気にすることはない。

ヒトラーを英雄視?

一方、ヒトラーのドイツは、ヨーロッパから北アフリカに至る国々を軍事占領した。親衛隊（SS）などナチ組織の評判がいまでも最悪なのは、国を問わず共通している。では、ドイツ国防軍が戦争を仕掛けた国で、いまでも感謝されている例などあるだろうか。筆者はそんなケースを聞いたことがない。ドイツの複数の情報源にも依頼して、例があるかどうか探してもらったが、見つからなかった。

ユダヤ人が強引に建国したイスラエルと対立する中東アラブ諸国の一部で、ヒトラーを英雄視する人びとがいるらしい、という未確認情報があったくらいだ。仮に事実とすれば、子どもや女性にも砲弾を浴びせるイスラエルへの憎悪からの歪んだ心理からか。積極的にヒトラーを支持しているわけではないだろう。

いずれにせよ、ドイツと日本それぞれの戦争の地となった国での評価には、決定的な差がある。これも、独日ステレオタイプが虚妄であることを裏づけるだろう。

衝撃の書『反日種族主義』

韓国人の一連の歴史認識がいかに歪曲ないし捏造されたものか実証的に批判した書『反日種族主義』が、二〇一九年七月、韓国で刊行された。約十三万部が売れ、韓国としては大ベストセラーとなった。それだけ、自国で伝わる歴史認識に疑念を持ち、本当の歴史を知ろうとする人びとが出てきたということではないか。

編著者の李栄薫《イヨンフン》元ソウル大学教授は、〈韓国人は嘘つきであり、韓国の歴史学や社会学は嘘の温床だ〉と厳しく批判する。慰安婦問題をめぐる騒動の虚偽性を〈暴露〉することが執筆の動機の一つだったとし、三つの章を慰安婦問題に割いている。〈その偽善のありように、書いている私も背筋が寒くなるほどでした〉と述懐する。

種族とは耳慣れない言葉だ。大辞泉によると、同一言語・同質の文化を共有する比較的小さな民族的集団を意味する。李栄薫はタイトルにも使った「反日種族主義」をこう説明している。

〈種族は隣人を悪の種族とみなします。客観的議論が許容されない不変の敵対感情です。ここでは嘘が善として奨励されます。嘘は種族を結束させるトーテムの役割を果たします。韓国人の精神文化は、大きく言ってこのようなシャーマニズムに緊縛されています。より正確に表現すると、反日種族主義と言えます〉

『反日種族主義』は約四カ月遅れて日本語版が文藝春秋から出版され、四十万部を超す売れ行きをみせた。

この本は、慰安婦や日帝による土地収奪、いわゆる徴用工（朝鮮半島出身の労働者）、竹島（韓国名：独島《ドクト》）領有権などに関し、従来の韓国側の主張をことごとく退けている。歴史認識を一変させる内容だけに、韓国では左派を中心に大きな反発を招き、その反論本も出て大論争となった。

『反日種族主義』には、重要な論点ながらつづられていないこともある。李栄薫は李承晩学堂の校長であり、李承晩を評価する立場にあることは留意しておく必要がある。

この本は韓国の歴史認識だけでなく、わが国の左派メディアや知識人＝進歩的文化人が唱えてきたこともほぼ全否定する。筆者は、韓国国内での論争の行方以上に、日本の左派勢力がこの話題の書にどんな反応を示すかに注目してきた。

編著者の李栄薫も、文春オンラインで以下のように鋭く指摘する。

〈この本は、日本のいわゆる左派とか進歩的知識人に反省を促す意味もあります。いままで慰安婦、徴用工の問題は、日本の左派と韓国の左派が連携してきました。それは結果的に両国の関係を悪化させる役割しかなかったのです。左派は連携しますね、日本の左派は政治的です。彼らの説は日韓関係を悪化させるのに非常に役に立ちました〉

これは、朝日の慰安婦キャンペーンの「誤報」などが日韓関係を修復不能なまでにぶち壊したことを批判したものだ。また、李栄薫は〈これは普通の民族主義ではなく一種の病理的な精神現象としての種族主義だ。そのように思うようになりました〉と説明している（二〇一九年十一月十四日配信）。

李は、この本の中で朝鮮総連系の日本人学者も批判している。

韓国で刊行されて約一年、日本語版が発売されてから約半年に当たる二〇二〇年半ば過ぎの時点で、わが国の主要活字メディアがどう扱ったか、記事データベースで検索した。書評欄などにあるベストセラー・コーナーで書名だけを紹介したケースを除き、内容を伴った関連記事数は次の通りだ。

朝日新聞０件
共同通信０件
毎日新聞０件

読売新聞3件

産経新聞9件（コラム、読者投稿ふくむ）

最も多かったのは産経で9本あった。注目すべきは朝日、共同で、記事は共に0本だった。つまり、韓日でベストセラーとなりそれぞれの歴史認識や両国関係にも重大な影響を与えるとみられる『反日種族主義』を、完全に無視したのだった。この事実は、わが国の左派にとっても、いかに〝不都合な真実〟が書かれているかを示すものだろう。論拠をあげて反論できないとき、左派はいつも沈黙し無視する。拙著『〈戦争責任〉とは何か　清算されなかったドイツの過去』のときもそうだった。

同じ左派メディアである毎日新聞の本紙にも記事は0本だが、澤田克己・ソウル支局長は文春オンライン（二〇一九年十二月三十一日公開。この記事は二〇二〇年十二月三十一日で公開終了。「週刊文春」二〇一九年十二月十九日号からの転載）には次のように寄稿している。

〈目新しい歴史的発見は、本書には記されていません〉〈ただ（韓国の）保守派は現実政治で進歩派に太刀打ちできない。いわばリングのコーナーに追い詰められた保守派の弱小勢力からの文政権への反撃の一手、それがこの『反日種族主義』なのです〉

反論できる根拠に乏しいとき、〈目新しい歴史的発見はない〉しするのは常套手段だ。これまでに指摘された事実があるのなら、なぜそれを朝鮮半島専門記者として報道しなかったか。

していれば両国関係の修復に貢献できたのでは、という自己の責任から目をそらしている。

過去、『親日派のための弁明』（金完燮《キムワンソプ》著。草思社。二〇〇二年）や『韓国がタブーにする日韓併合の真実』（崔基鎬《チェキホ》著。ビジネス社。二〇一九年）など韓国知識人が書いた著作がある。これらには、ほとんどの韓国人が抱く歴史観とはまったくちがう内容がつづられている。澤田克己がそれらについて論評した形跡はみられない。そこに書かれた内容が自己にとって不都合だから、無視していたのではないか。

また、澤田の文春オンラインへの寄稿は、「毎日をふくめ日本の左派メディアが伝えてきたことが否定されている」という肝心の事実には触れていない。その点も、朝日などと同様、無視するしかないと自己保身に走ったのだろう。

澤田はその後、外信部長となり『反日韓国という幻想　誤解だらけの日韓関係』を毎日新聞出版から二〇二〇年二月に出した。

そのなかで、『反日種族主義』でも引用されたある東南アジアの慰安所で働いた朝鮮人男性の日記について〈資料の使い方でも首をひねらざるをえない点が見られる〉としている。前線であるビルマ（現ミャンマー）と戦場から離れたシンガポールのちがいを指摘し、〈ビルマでは既に日本軍が敗走を重ねていた時期で、連合軍の尋問調書などによると、多くの慰安婦が巻き添えで犠牲になっていた〉とする。

澤田による慰安婦関連での批判個所はここだけであり、『反日種族主義』が指摘する諸問題からは目をそらす典型的な議論のすり替えだ。くり返すが、毎日新聞がこれまで書いてきたことがいかにまちがっているか、という本質的なことには一切触れていない。

さらに、先述のイギリス人ジャーナリスト、ストークスの著書には、澤田の批判内容を事実上否定する記述がある。一九四四年の秋に中国とビルマの国境にあった拉孟《ラモー》要塞での出来事だ。〈米軍指導下の支那軍五万人が、一二〇〇名の日本将兵が守る要塞を攻めた。慰安婦も、要塞へ逃げ込んだ。戦闘は四カ月に及んだが、玉砕より道はなかった。守備隊長は慰安婦に、山を降りて投降することを勧めた。二〇人の慰安婦のうち、日本人女性一五人は要塞に残り、全滅した。五人の朝鮮人慰安婦は、守備隊長に「日本人でなければ、殺されない」と諭《さと》され、山を降りて米軍に保護された〉（『英国人記者が見た連合国戦勝史観の虚妄』第四章。祥伝社。二〇一三年）。

巻き添えで犠牲になったのは日本人慰安婦だったのだ。澤田の文章では、文脈から朝鮮人慰安婦が犠牲になったような誤解を与える。そういう狙いで書いたのだろう。〈首をひねらざるをえない〉のは澤田の叙述のほうだ。

韓国の挺対協（現・正義連）などは〈二十万あるいは数十万人の少女や女性が日本軍に強制連行され、性奴隷とされ、殺された〉などと主張してドイツをふくむ海外に広め、朝日や毎日などもそれを否定するどころか容認してきた。

だが、それは事実無根の反日プロパガンダにすぎないことを、図らずも澤田の著書が裏づけている。つまり、韓日の左派反日勢力がタッグを組み唱えてきた慰安婦問題は、やはり虚構だったことを物語るものでしかない。

韓国には、在韓米軍のための韓国人慰安婦として厳しい生活環境にあった女性もいたとされる。ベトナム戦争に派遣された韓国軍兵士にレイプされた多くのベトナム人女性が産んだ混血児「ライダイハン」の問題もある。

だが、韓国のメディアもわが国の左派メディアも、こうした事実を正面から伝え社会・外交問題とする姿勢はみせない。あくまで旧日本軍の非日本人慰安婦にだけこだわり、「被害者であるアジア人女性」「加害者である旧日本軍」という構図を保たないと、反日の論拠が崩れるからだ。

ドイツにまで飛び火した慰安婦問題は、朝日や毎日などが路線を改めきちんと事実を書けば、ほとんど火を消せる性質のものだ。それをしないから、反日メディアと呼ばれることになる。

「過去史は清算された」

日韓関係の基盤とすべきなのは、一九六五年に締結された請求権協定であることは論を待たない。『反日種族主義』は【第1部9　もともと請求するものなどなかった――請求権協定の真実】でこう結論づけている。執筆者は、日帝下韓国経済史研究でソウル大の博士号を取得し現在は李承晩学堂教師の朱益鍾《チュイクチョン》だ。

〈植民地支配による被害の賠償または補償でないならば、最初から韓国が日本に請求するものは大きな金額にはなり得ず、それを確認するという線で一九六五年、請求権協定が締結されました。これは韓日間の最善の合意でした。韓日協定を破棄しない限り、韓国は、何か受け取ってないものがあるから、日本はもっと出さなければいけない、などと主張することはできません。韓国人は、一九六五年の請求権協定で日本との過去史の始末がつけられたこと、過去史が清算されたことを認めなければなりません〉

日韓関係史専門の評論家・李東原《イドンウォン》は、韓国における慰安婦問題の本質について、次のように明解に解説している（デイリー新潮、二〇二〇年八月一七日配信）。

〈つまり挺対協は、日本帝国主義の「残虐性」「強制性」を強調するために、「強制的に連行された純潔な朝鮮の娘」という「慰安婦像」を作り出そうとした。そのせいで、被害者が経験した複合的で多面的な経験を「簡略化」してしまい、その結果、多くの被害者たちは、自分たちの経験とは無関係に、定型化した「フレーム」の中に自分たちを合わせなければならなかった。挺対協は被害者たちに、このような「犠牲」を強要し、このフレームを自ら拒絶した被害者たちを、運動と支援から排除した〉

反日団体を告発した日本人

韓国大統領府での晩餐会でトランプ米大統領に抱きついた慰安婦のシンボル的存在だった、自称・元慰安婦の李容洙《イヨンス》(九二)は、二〇二〇年五月の記者会見で、正義連＝旧挺対協と、元代表で「反日市民団体のドン」と評される尹美香《ユンミヒャン》(五五)に批判の矛先を向けた。

正義連は、これまで韓国でタブー的な存在だったが、金銭トラブルは過去に何度も起きていた。李容洙の告発をきっかけとして、改めて不明朗な金銭問題などが主に保守系メディアによって相次いで暴かれた。また、李容洙は偽の元慰安婦ではないのか、という疑惑も指摘されている。

この内ゲバにからみ、元慰安婦の支援施設「ナヌムの家」が市民からの寄付金を入所する被害者のためではなく不動産投機などに使っている、とする内部告発もあった。告発者は、韓国(北朝鮮)、ドイツ、日本をまたいで活動してきたこの施設の国際室長でもある矢嶋宰だ。矢嶋については第一章でも書いた。彼は、世間の風当たりが強くなり、いまになって不明朗会計を告発し保身を図ったのだろうか。

正義連をめぐる内ゲバは韓国内を震撼させた。だが、そもそも、朝日や戸塚悦朗弁護士になどによって作り出され韓国で定着した「女性が強制連行され二十万人もが性奴隷にさせられた」という慰安婦騒動の核心、虚偽性そのものへの疑問は提示されていない。

日韓両政府は、和解へ向けてさまざまな試みをしてきたが、正義連＝旧挺対協が日本との和解へと進もうとする元慰安婦に圧力をかけた。

李容洙の告発をきっかけに、与党「共に民主党」の現職国会議員でもある尹美香による同団体の寄付金流用事件へと発展した。もともと、旧挺対協当時から、その団体の大義は日韓和解ではなく「反日」そのものとの見方があった。慰安婦の人びとが和解に向かえば、彼らは「反日」の大義つまり存在理由を失うことになりそれを恐れていたとの指摘だ。多額の流用事件は、目的が「反日」から個人的利益にすり替わっていたことを物語ると言えるだろう。

正義連がドイツにまで手を伸ばして反日キャンペーンをするのも、決して元慰安婦支援のためではなく、自己や水面下でつながる北朝鮮のためとみられる。

ＩＷＧレポートと朝日誤報謝罪論で反撃せよ

ドイツのメディアやキリスト教会、一部知識人は、韓国の反日団体に強く影響され、日本を慰安婦問題で糾弾する。だがたとえば、アメリカにはとても強力な日本の援護者がいる。米陸軍特殊部隊「グリーンベレー」除隊後、イラク戦争の従軍記者となり、さらにフリーのジャーナリストになったマイケル・ヨンだ。著書『イラクの真実の時』（未訳）が全米ベストセラーとなり、世界各国のメディアで活躍している。

彼は、アメリカ政府が約三千万ドル（三十億円超）と七年の歳月をかけて作成し二〇〇七年にまとめながら埋もれていた「ナチス戦争犯罪と日本帝国政府の記録の各省庁作業班（IWG）」による米議会あて最終報告書を発掘して精査した。さらに関係する十一か国で徹底取材し〈慰安婦問題に戦争犯罪の証拠は皆無だ〉とする。

ヨンは『決定版・慰安婦の真実　戦場ジャーナリストが見抜いた中韓の大嘘』（育鵬社。二〇一八年）で、〈「慰安婦問題」とは、一言でいえば、壮大な「詐欺」事件です〉と断じ、背後には日米韓豪の関係の破壊を狙う中国の大がかりな謀略があるとしている。

結果的に日本の冤罪を裏づけたIWGによる調査を米政府に依頼したのは、皮肉にも、反日活動をする在米中国系組織「世界抗日戦争史実維護連合会（抗日連合会）」だった。

わが国政府は、IWGレポートの存在や朝日新聞がすでに二〇一四年、慰安婦での「誤報」を認めながら海外向けではそれを隠蔽している事実を諸外国語で広報すればいい。当の朝日がやらないから、ベルリンでの騒動にみられるように、いつまでも国際社会で誤解されたままだ。日本政府は歴史を書き換えようとしているのではなく、史実に基づいて反論するのだ、と。

世界史の転機となった日本の戦争

中国共産党政府は、二〇二〇年六月、香港国家安全維持法を制定した。イギリス政府は、翌七月、約三百万人の香港市民を対象にイギリスへの移住を認める方針を明らかにした。アメリカ政府は「香港人権・民主主義法案」を成立させた。

香港は、「共産中国と自由主義世界の対立」という構図で、世界の注目を浴びることになった。だが、かつての香港は大英帝国の植民地であり、中国人の人権も民主主義も尊重されていたわけではない。いま、中国共産党の全体主義と対決するのは自由と民主主義の立場から当然とは言え、現代史を振り返れば話はそう単純ではない。

二〇二〇年には、もう一つの大きな出来事もあった。新型コロナウイルス禍さなかの五月、米ミネソタ州で起きた白人警官による黒人暴行死事件をきっかけに、世界で人種差別抗議行動が燃え広がった。

香港問題や人種差別抗議という現代の視点から日本の戦争をみると、まさに世界史の大きな転機だったのではないか。

太平洋戦争もう一つの真実

歴史は視点によってまったく異なる光景を映し出す。【まえがき】でふれたアフリカ系アメリカ人の歴史研究者ジェラルド・ホーンは、『人種戦争――レイス・ウォー――太平洋戦争もう一つの真実』(邦訳祥伝社。二〇一五年)で、旧日本軍が香港をどう変えたか、日露戦争での日本の勝利が世界を、特に黒人をふくむ有色人種の意識をどう変えたかをつづっている。これら二つの事象の根は同じだからだ。

〈イギリスが香港を領有してからおよそ一世紀が経過した一九四一年十二月に、日本軍が香港を占領し、まるで聖書の「黙示録の予言」と、「最後の審判」が同時に起こったかのように、大多数の住民によって熱狂的に迎えられた背景には、人種差別があった。ある評論家は「イギリスにとって、軍事的な敗北より、心理的な打撃のほうが大きかった」と、語った〉

ここで言う住民とは、もちろん中国人のことだ。中国大陸での戦闘で日本軍の一部が残虐行為に走り、非戦闘員にも多くの犠牲が出たのは事実だ。だがそれでも、人種差別されていた中国人は、イギリスを屈服させた日本軍に熱狂したのだという。

ジェラルド・ホーンは、こうもつづっている。

〈昭和天皇は後にこう語っている。「大東亜戦争の原因は、第一次世界大戦後の講和会議にあった。日本によって提起された人種平等提案は、連合国によって拒まれた」〉

〈極東国際軍事裁判(東京裁判)は、なによりも日本が白人上位の秩序によって安定していた、世界の現状を壊した「驕慢《きょうまん》な民族主義」を大罪として、裁いた〉

〈(戦時中には)事実を捻じ曲げて、「日本軍がアジア人に対して、ありとあらゆる『残虐行為』

に及んでいる」という、宣伝《プロパガンダ》が行われた。日本軍が白人に対して「残虐行為」を行っていると報告すると、かえって「アジア人のために戦う日本」のイメージを広めかねなかったからだった〉

日露戦争については、こう述べる。

〈一九〇五年の日本のロシアに対する劇的な勝利は、多くのアメリカの白人や西洋人を恐怖に陥れた。同様に、黒人や、アジア人を歓喜させた出来事だった。……どうしたらかつてなく強くなった日本を「怒らせず」に、「白人の優越《ホワイトスプリーマシー》」を維持できるのか、セオドア・ルーズベルト大統領をして「他の何よりも、日本について最も憂慮している」と告白させている〉

〈日本は、「白人の優越」に対抗する力として見られていた。（大東亜戦争の）戦場で日本が後退しても、世界中の黒人が日本に寄せる熱情が、冷めることがなかった。アメリカの情報局は、この現実にかつてない警鐘を鳴らしていた〉

それが、現代の人種差別抗争につながっている。イギリス王室を事実上離脱したヘンリー王子は、二〇二〇年七月、国際的慈善団体のビデオ会議に出席し「一部が優遇される人種差別的な制度のなかで私たちは育ってきた」と語り、根強く残っている差別を正すためにイギリスが植民地支配を進めた時代の過ちを認めるべきだと主張した。同席した妻のメーガン妃も「ときに不快な思いをするかもしれないが、やるべきことだ」と訴えたしいう。夫妻の発言は、世界の人種差別撤廃機運に影響を与えるだろう。すでに、イギリスでは植民地支配の歴史を否定的に評価する動きが生まれているという。

ドイツと日本の戦争

朝日新聞は、二〇二〇年七月十五日付け朝刊で〈歴史巡るフェイク疑え〉という大きな記事を掲載した。奈良県の私立西大和学園中学・高校教諭の浮世博史《うきよひろし》（五八）にロングインタビューしている。浮世は、歴史修正主義の事実誤認を指摘した大著『もう一つ上の日本史『日本国紀』読書ノート：古代～近世篇』（幻戯書房。二〇二〇年）の著者だそうだ。

百田尚樹著『日本国紀』（幻冬舎）など〈プロの書いたものでない〉歴史書について、浮世はこう語っている。

〈「自分の言いたいことに合わせ、歴史をつまみ食いする傾向があります。たとえば日露戦争での日本の勝利はアジアに勇気や自信を与えた、という言説があります。そうした面も確かにありますが、一方で、孫文やインドのネルー、ビルマ（現ミャンマー）の独立運動家バー・モウは、日露戦争勝利が日本の帝国主義と植民地支配のきっかけになったことを批判しています。『自信を与えた』という評価Aだけを説明し、『失望させた』という評価Bを言わないと、社会科学ではなくプロパガンダになってしまいます〉

ジェラルド・ホーンの著作には、浮世の論を否定する叙述がある。

〈孫文は一九四二年に神戸で行った演説で「大アジア主義」を論じた。孫文も、ネルーやドュ＝ボイスと同様、日本が日露戦争でロシアに勝利したことが、「白人の優位《ホワイースプリーマシー》」から脱却する出発点となったことを、指摘した。そして「ロシアが日本に負けたのは、西洋が東洋に負けたことだ」といって、日本の勝利を称えた〉

ネルーらは日本を批判したのではなく、その勝利を称えたという。筆者がインド政治の拠点であるウッタル・プラデシュ州の州都ラクナウで著名な政治学者に聞いた話も、ネルーとまったく同じだった。

〈社会科学ではなくプロパガンダ〉は、歴史修正主義を批判する浮世博史の言説のほうだった。〈歴史巡るフェイク疑え〉という見出しは、むしろ、虚報とされる南京三十万人大虐殺説や慰安婦問題の「誤報」などをくり返し、評価Bだけ伝え評価Aを言わない朝日新聞にこそあてはまるのではないか。

ジェラルド・ホーンは、独日ステレオタイプを超克するのに有効な、こんなエピソードも書いている。

〈ナチスの「ホロコースト」には与《くみ》せず、ユダヤ人を助け、その人的資源と技術を日本のために生かすのが、日本の方針だった。大挙して避難したドイツのユダヤ人が目指したのは、ヨーロッパやアメリカではなく、アジアの日本占領地だった。日本の外交官で伝説になった杉原千畝《すぎはらちうね》は、リトアニアなどのヨーロッパの日本領事館などからビザを発行し、ユダヤ人大虐殺の前夜に、何千人ものユダヤ人を救った〉

〈日本とドイツの相容れない違いは、さまざまな形で現れた。日本人は一般に国家社会主義者の傲慢さと、日本人に対する侮蔑を嫌った〉

東京裁判で問われいまも中国共産党が反日教育の象徴とする南京大虐殺説を、事実上、真っ向から否定する記述もある。

〈イギリスは、他にも問題を抱えていた。終戦後も、多くの日本将兵が中国国内に残留しており、日本軍将校は「重要人物」で、南京周辺では敗残兵どころか、重要な「賓客《ひんきゃく》」として扱われていた〉

ジェラルド・ホーンは、ドイツと日本の戦争の定性的分析もしている。

〈第二次世界大戦では、主としてドイツは他の独立国を侵略、あるいは侵略しようとし、日本は植民地帝国を追い出したか、追い出そうとした。香港の高名な歴史家のG・B・エンダコットは、「この差異が、フランスの愛国者はドイツと戦ったのに、なぜ日本占領下では日本と戦おうとする個人も、組織もまったくなかったのか、説明している」と語る〉

〈日本はアジアを解放して、世界を変えたのだ。この点において、日本は正しかった。東京裁判はきわめて複雑だ。ニュールンベルク裁判（ママ）は、ヨーロッパ大陸を支配するための明確な侵略だったと決めつけることができたが、東京裁判はそうはいかなかった〉

ドイツの戦争は非難すべきであり、日本のアジア太平洋地域での戦争は評価すべきであることを、ドイツ人でも日本人でもない第三者のアフリカ系アメリカ人歴史家が断言しているわけだ。

読売新聞は、二〇二〇年十一月十五日の朝刊でこんなスクープをした。

〈昭和天皇の弟宮で陸軍軍人だった秩父宮雍仁《やすひと》親王が、日中戦争（１９３７～４５年）初期に旧日本軍の戦略や軍紀の乱れを懸念した書簡が見つかった〉〈書簡では「軍紀風紀上の問題にしても此位《このくらい》は戦場なりと簡単にかたづけるへきでありませうか」とも記している。旧日本軍の「軍紀風紀」の乱れについては、当時から中国人を傷つけたり、食料を略奪したりといった行為が、陸軍内でも問題視されていた〉

つまり、旧日本軍に関してはこの程度のことでも問題視されていたわけだ。ドイツ軍が行った敵国人の皆殺しやレイプ、女性を連行し強制売春させた事実などと比べようもない。

ドイツ国家元首の悔恨

締めくくりに、独日ステレオタイプは虚構に過ぎないという決定的な事象をあげておく。

ホロコーストの象徴ともされるアウシュヴィッツ絶滅収容所の解放から満七十五年になるのを前に、イスラエルのエルサレムにあるホロコースト記念館で、二〇二〇年一月二十三日、追悼式典が行われた。

ドイツのシュタインマイヤー大統領も参列し、こう演説した。

〈加害者はドイツ人だった。ユダヤ人六百万人の産業的大量殺人という、人間の歴史で最悪の犯罪はわが国の人々によって行われた〉

〈産業的大量殺人〉というのは、ドイツが国策として工場での大量生産のように機械的にユダヤ人を虐殺したことを意味する。ここで加害の主語が〈ドイツ人〉とされている点に注目される。ヘルツォーク大統領が一九九四年にワルシャワで語った立場を踏襲したもので、戦後ドイツのトリックから改めて決別した。

演説はユダヤ人に対して語った形だが、実は、ドイツの歴代首脳や一般国民に対しても向けられたものだろう。〈ドイツの名において、ナチスが……〉という言い方はもう許されないのだ、と。

ドイツでは近年、極右的な側面を持つ政党・ドイツのための選択肢（ＡｆＤ）が大きく台頭し、極右・ネオナチによるユダヤ人襲撃も後を絶たない。

シュタインマイヤーはその現実を踏まえ、〈邪悪な精神は、反ユダヤ主義、人種差別、独裁主義といった新たな症状で表れている〉と述べた。そして、こう悔やんだのだ。〈ドイツ人は歴史に学んだと言えればよかった。だが、憎悪が広がるなか、そう語ることはできない〉

ドイツの国家元首が、事実上、独日ステレオタイプを完全否定したのだった。

この演説によって、ドイツ人はナチスをスケープゴートとする心理学的な欺瞞《トリック》に最終的なピリオドを打たれた。それは、逆に心理学的に言えば、日本や旧日本軍への非難がドイツでさらに高まり、その陰で韓日の反日勢力がますます暗躍する恐れがあることを意味する。

先入観からの決別

人は先入観によって思考を支配されることがしばしばある。独日ステレオタイプは、その最たるものの一つだった。その蔓延には、日本の左派知識人や〈反日日本人〉と呼ぶしかない者たちも深くからんでいた。日本を貶めれば、脳内にドーパミンが分泌され強い快楽を味わえるという。祖国愛が倒錯した彼らは、ある意味で、〈悲しい日本人〉でもある。

では、正義中毒やステレオタイプの呪縛に陥らないための予防法はあるのか。脳科学者・中野信子は〈前頭前野は分析的思考や客観的思考を行う場所です〉とし、こう述べる。

〈前頭前野が衰えていない人は、普段から「自分はこう思う」「こうに決まっている」といった固定化された通念や常識・偏見をうのみにせず、常に事実やデータを基に合理的思考や客観的思考を巡らせている人だと言えるでしょう。

ということは、日常的に合理的思考、客観的思考ができるようなクセをつけておく、あるいはそうせざるを得ない状況に身を置いておくと、前頭前野は鍛えられ、衰えを抑制することが期待できる可能性があります〉（前掲書）

独日ステレオタイプの盲信者は、前頭前野が衰えているのだろう。

その一方で、わが国の「史実を世界に発信する会」は、反日プロパガンダに対抗するため、史料に基づいた日本語文献をプロの翻訳家が英訳し、書籍刊行やネット公開することを活動内容としている。テーマは、南京事件、慰安婦問題をふくむ朝鮮統治、満洲国、日支事変の開戦経緯などだ。

二〇一八年には秦郁彦の名著『慰安婦と戦場の性』をジェイソン・モーガンの英訳で刊行した。この書は、慰安婦問題の真実をじわじわと海外へ広げるのに役立つだろう。筆者の取材経験から言っても、海外の知識人にとって、慰安婦問題が日本発であり、日本を代表するマスメディアがフェイクニュースをくり返してきたなどとは、まさに驚天動地の話だからだ。

ドイツと日本の過去は、まったくちがっていた。『反日種族主義』共著者の一人・朱益鍾《チュイクチョン》が指摘するように、日本の過去史はすでに清算されているとも言える。

われわれが心がけるべきは、東京裁判史観や独日ステレオタイプなどの先入観と決別し、歴史の事実を多面的に理解しかつ発信することだろう。反省すべきところは反省し、祖国の歴史に誇りを持って、国際情報戦に勝利することがいま求められている。

木佐芳男（きさ・よしお）
ジャーナリスト・元読売新聞ベルリン特派員。1953年、島根県出雲市生まれ。1978年、読売新聞入社。外報部（現・国際部）、ニューデリー特派員、世論調査部（日米、日米欧、日ソの国際世論調査を担当）、読売・憲法問題研究会メンバー、ボン特派員、ベルリン特派員などを経て、1999年からフリーランスに。2013年、出雲にUターンした。著書に『〈戦争責任〉とは何か 清算されなかったドイツの過去』（中公新書）、『「反日」という病 GHQ・メディアによる日本人洗脳を解く』（幻冬舎）などがある。

「反日《はんにち》」化《か》するドイツの正体《しょうたい》

2021年２月28日　初版発行

著　者　木佐 芳男

発行者　鈴木 隆一

発行所　ワック株式会社
東京都千代田区五番町４-５　五番町コスモビル　〒102-0076
電話　03-5226-7622
http://web-wac.co.jp/

印刷製本　大日本印刷株式会社

ISBN978-4-89831-832-4

好評既刊

日本学術会議の研究

白川司

B-331

「学問の自由」を叫び、国の軍事研究を邪魔する一方で、人民解放軍ともつながる中国の機関とは共同研究をいとわない「特権階級・赤い貴族」を徹底解剖。　ワックBUNKO　本体価格九〇〇円

不安を煽りたい人たち

上念司・篠田英朗

B-330

「コロナ」「9条改憲」「学術会議」等々で、政府を批判し、民主主義の危機だと騒ぐ「煽り系」のサヨクの人達。そんなフェイク言論を二人の論客が徹底論破。　ワックBUNKO　本体価格九〇〇円

命がけの証言

清水ともみ

ウイグル人たちの「命がけの証言」に応えて、ナチスにも匹敵する習近平・中国共産党によるウイグル弾圧を、マンガで告発。楊海英氏との告発対談も収録。　単行本（ソフトカバー）本体価格一二〇〇円

http://web-wac.co.jp/